D1506662

LIBRO DE LA FAMILIA

OBRAS DE REGIS CASTRO

Raïssa – 2ª edición
Croma – *camino de vida*
Pique
Barby
Rabboni – 4ª edición
Las Manitos de María – 3ª edición
Libro de la Misericordia Divina – 3ª edición
Consejos de Dios para Ti – 3ª edición

EN COAUTORÍA CON MAÏSA CASTRO

Jesús Te Ama – 5ª edición
Una Visita de Jesús para Usted (Raquel) – 4ª edición
Curación a través de la Bendición (Bendición sobre bendición) – 5ª edición
Jesús es Mi Amigo – 3ª edición
La Mano Poderosa de Jesús en Mi Corazón – 4ª edición
Jesús Quiere Sanar Su Vida – 3ª edición
Libro de la Familia – *cura y salvación para ti y tu familia* – 5ª edición
Alabanza – *Ping-pong* – 4ª edición
Rosario de la Liberación – 7ª edición
Amor Eterno – 4ª edición
Testimonios del Rosario de la Liberación

OBRAS DE MAÏSA CASTRO

Tenéis que Nacer de lo Alto
Perseverar en el Amor de Dios – 4ª edición
Promesas de Dios para Ti
Oraciones de Poder – 7ª edición
Oraciones de Poder III

Regis Castro
Maïsa Castro

LIBRO DE LA FAMILIA

Cura y salvación para ti y tu familia

5ª edición

Editores: Regis Castro/Maïsa Castro
Directora Editorial: Raïssa Castro Oliveira
Traducción: Fernando Subiñas González
Revisión: Rosa Arriagada/Elena Arriagada/Vilma A. Albino/Daška Steel
Tapa: Júlio Campos
Impresión: R. Vieira Gráfica e Editora Ltda./Campinas/SP

PARA LA GLORIA DE JESUCRISTO NUESTRO SEÑOR. ¡ALELUYA!

Las citas bíblicas fueron extraídas de la *Biblia de Jerusalén*. Bilbao, Editorial Española Desclée de Brouwer.

ISBN 85-7345-027-4 (edición original)
ISBN 85-7345-016-9

Pedidos para:

• **RABONI EDITORA LTDA.**
Caixa Postal 1792
CEP 13001-970/Campinas/SP/Brasil
PABX: 0055-19-242-8433 • FAX: 0055-19-242-8505

Home page: http://www.raboni.com.br
e-mail: raboni@raboni.com.br

Sumario

Introducción

"No sé qué es lo que hubo. Él siempre fue un buen marido y también un padre formidable. Mis tres hijos están arrasados con su ausencia. ¿Por qué se fue? ¿Qué debo hacer para que vuelva?", me decía llorando y desesperada una señora de 45 años.

"Porque nuestra lucha no es contra la carne y la sangre, sino contra los principados, contra las potestades, contra los dominadores de este mundo tenebroso, contra los espíritus del mal que están en las alturas" (Ef 6,12).

Leyendo a respecto de la armadura del cristiano (ver Ef 6,10-12), vemos que armas poderosísimas de Dios están a disposición de aquellos que leen la Biblia y la practican, participan de la misa y de la Eucaristía, poseen oración personal y en familia, rezan el rosario, frecuentan un grupo de oración... Esa vivencia espiritual suscita una fe creciente en el corazón.

"Ten fe en el Señor Jesús y te salvarás tú y tu casa"
(Hch 16,31).

Basados en la Palabra de Dios, te presentamos algunas de esas armas poderosas para ser utilizadas *"contra los espíritus del mal que están en las alturas"*, los cuales destruyen tu propia vida y la de tu familia.

Algunas de esas armas espirituales probablemente ya las conoces, pero ahora te las presentamos direccionadas a la salvación, cura y liberación no sólo de tu persona sino también de tu familia.

Sugerimos que leas un capítulo de este libro por día y, luego después de la lectura, que pidas con fe la gracia de Dios y así poner en práctica lo que leíste.

Que Dios, en nombre de Jesús, te bendiga y acompañe en esta lucha espiritual no sólo en busca de la salvación propia, sino también en busca de la salvación de tu familia.

"Pero ¡ánimo!: yo he vencido al mundo" (Jn 16,33c).

¡NO DEJES QUE EL DEMONIO ADOPTE A TU FAMILIA! ¡LUCHA POR ELLA AHORA... ANTES DE QUE SEA DEMASIADO TARDE!

1 ¡Salva a tu familia!

El otro día una esposa y madre me buscó desesperada para relatar el drama, profundamente angustiante, que vivía su familia. (No es un caso aislado. Millares de personas en la misma situación familiar nos procuran.) Esa señora nos dijo llorando:

— No sé qué hacer de mi vida, de mi matrimonio, de mis hijos... Todo está desmoronándose... ¿Habrá aún alguna solución, alguna esperanza para mi familia?

— ¡Claro que hay! — le dije yo.

Y a ti, que lees este libro, también te lo digo:

— Hay solución para tu familia también y ¡depende de ti!

"Ten fe en el Señor Jesús y te salvarás tú y tu casa"
(Hch 16,31).

Y podrías preguntarme:

— ¿Cómo puedo, entonces, solo, ser instrumento de salvación para toda mi familia?

Y yo, sin duda alguna, te respondería:

— ¡Tú lo puedes! ¡Quién lo dice no soy yo, sino la Palabra de Dios!

"Ten fe en el Señor Jesús y te salvarás tú y tu casa"
(Hch 16,31).

9

Jesús, a través de nosotros, con el poder de su Palabra y de su Sangre redentora, puede salvar a nuestra familia.

Alegría en el corazón, hermano mío, porque la esperanza vuelve a la familia; familia que está desequilibrada en su matrimonio y en la educación de los hijos. Y esta esperanza surge ahora a través de la Palabra de Dios.

"Ten fe en el Señor Jesús y te salvarás tú y tu casa" (Hch 16,31).

¡DIOS QUIERE SALVAR A TU FAMILIA!

Jesús te convida ahora a ser instrumento de salvación de tu familia. ¡Se está agrediendo mucho a la familia! Y a pesar de todo, hay un mensaje de esperanza. En cuanto los medios de comunicación agriden a la familia con poder maligno, la Palabra de Dios, que cura, salva y libera, nos presenta una promesa de salvación que se concretizará si hay una acción rápida y poderosa del marido, de la esposa, de los hijos, en fin de todos nosotros que pertenecemos a una familia. Todos nosotros somos hoy llamados, en Jesús y en el poder de su Sangre, a salvar a nuestra familia y, como consecuencia, a salvar todas las familias.

Estemos convencidos de que una bendición especial de Dios se está derramando ahora en nuestro corazón, pues estamos hablando del amor de Dios; y es en razón de este mismo amor que Dios salvará a nuestra familia. Todos nosotros estamos siendo convocados a tornarnos, en Jesús, instrumentos de salvación de las familias.

¿Tienes conciencia de cuánto los medios de comunicación han agredido los valores morales, éticos y religiosos de tu familia?

¿Sabes que las malas amistades no sólo de tus hijos, sino también de los matrimonios, están agrediendo a tu familia?

"No os engañéis: 'Las malas compañías corrompen las buenas costumbres'" (I Co 15,33).

¿Sabías que tienes una responsabilidad muy grande en esta obra de salvación de tu familia y, consecuentemente, de todas las familias?

Les pedimos a todos que se unam ahora a nosotros, intercediendo para que una grande bendición de Dios venga a nuestro corazón, a fin de que nos convirtamos en instrumentos de salvación para nuestras familias. Pára la lectura, en este momento, y colócate, por la fe, en la presencia del Señor Jesús:

Dios Padre, en nombre de Jesús, Te pedimos arrepentidos de nuestros pecados y clamando por tu piedad y misericordia: Bautízanos en tu Espíritu; envíanos, Señor, a tu Espíritu y renueva la faz de la tierra; renueva mi vida y a toda mi familia; haz nuevas todas las cosas, Señor, por el poder de tu nombre, de tu Sangre y de tu Palabra.

"Mira que hago un mundo nuevo" (Ap 21,5a).

Padre celestial, Te alabamos y bendecimos tu santo nombre. Con toda la confianza en ser tus hijos muy amados es que nos aproximamos a tu trono de gracia, mediante la Sangre redentora de Jesucristo, nuestro Señor, y arrepentidos confesamos y pedimos perdón de todos nuestros pecados, incluso de los que hemos cometido contra la propia familia, causando divisiones, discordias, desentendimientos, dolores, sufrimientos, humillaciones, ofensas, odio, penas y resentimientos justamente a las personas que más debíamos amar y respetar.

¡Ten piedad de nosotros, oh Padre! Perdónanos y purifícanos en la preciosa Sangre de Jesús derramada por nosotros en la cruz como precio de nuestro pecado. ¡Ten compasión de nosotros!

Estamos arrepentidos; queremos mudar, ser diferentes, pero no lo conseguimos, porque en nosotros mismos no encontramos fuerza para permitir que estos cambios ocurran en nuestro modo de ser. Por eso confiamos en tus promesas:

"Infundiré mi espíritu en vosotros y haré que os conduzcáis según mis preceptos y observéis y practiquéis mis normas" (Ez 36,27).

"Si pues, vosotros, siendo malos, sabéis dar cosas buenas a vuestros hijos, ¡cuánto más el Padre del cielo dará el Espíritu Santo a los que se lo pidan!" (Lc 11,13).

Y clamamos con confianza: En nombre de Jesús, Padre, bautízanos y llénanos con tu Santo Espíritu; renueva todo nuestro ser; convierte nuestro corazón; cura a nuestras familias. Envía, Señor, a tu Espíritu y renueva la faz de la tierra, mi vida y la de mi familia.

Tú eres el Dios fiel, y creemos que cumples todas tus promesas. Por eso, desde ahora, nosotros Te alabamos y agradecemos por todas las obras, por toda salvación, cura y liberación que vas a hacer y que ya estás haciendo en medio de nosotros y por toda respuesta de oración.

En nombre de Jesús. ¡Amén y amén!

"Mira que hago un mundo nuevo" (Ap 21,5a).

Hace algunos años, iniciamos una campaña a través del programa de radio Jesús te Ama que, para gloria de Dios, ha sido un gran éxito: "¡Cambia tú y cambie el Brasil, por el poder de la alabanza!"

Más de once mil personas, no sólo de Brasil sino también del exterior, se comprometieron a alabar al Señor Jesús por lo menos cinco minutos por día. Y, por el poder de la alabanza, millares de personas están siendo transformadas y están transformando a sus familias y a sus países también.

Hoy queremos lanzar otra campaña que será victoriosa en Jesús, porque ésa es la voluntad de Dios:

¡SALVA A TU FAMILIA!

Éste es el nombre de la campaña que estamos lanzando:

¡SALVA A TU FAMILIA!

Muchas veces, queremos salvar a las familias, pero nos olvidamos de que también nuestra familia necesita salvación.

¡SALVA A TU FAMILIA!

Jesús nos convoca – y no tengo pizca de duda sobre eso – a abrazar esa campaña. Todos nosotros: matrimonios, padres, hijos, solteros, viudos...

Si nos escribes, comprometiéndote a orar, alabar e interceder por las familias por lo menos durante cinco minutos todos los días, tú y tu familia recibirán nuestra oración continua.

¡SALVA A TU FAMILIA!

Así como sus padres, los hijos pueden y deben ser instrumentos de salvación de su familia.

Necesitamos, en Jesús, rescatar y salvar a mi familia, a la tuya, a la nuestra y a todas las familias del mundo. Las revistas, los periódicos, los programas de televisión, las telenovelas, las películas, están destruyendo a las familias.

Sí, hermano mío, ¡Jesús nos llama ahora para que seamos instrumentos de salvación de nuestra familia!

¡NO DEJES QUE EL DEMONIO ADOPTE A TU FAMILIA! ¡LUCHA POR ELLA!

"Porque nuestra lucha no es contra la carne y la sangre, sino contra los principados, contra las potestades, contra los dominadores de este mundo tenebroso, contra los espíritus del mal que están en las alturas" (Ef 6,12).

"¿Qué necesito hacer?", puedo oír tu voz casi desesperada.

"Ten fe en el Señor Jesús y te salvarás tú y tu casa"
(Hch 16,31).

Cree en el Señor Jesús. Creer no significa apenas acreditar en la existencia de la persona de Jesús. Creer significa aceptar a Jesucristo como Salvador personal y leer, meditar y vivir la Palabra de Dios con la fuerza y con el poder de su Santo Espíritu todos los días de la vida. Creer significa también orar todos los días y participar de la misa, confesar constantemente, frecuentar un grupo de oración y rezar el rosario, clamando la intercesión de María por la conversión, salvación y protección de tu familia.

Y aquí quiero hacer un homenaje a mi madre que reza el rosario diariamente, intercediendo por sus tres hijos, por sus nietos, biznietos, nueras y yernos.

Es urgente que tú seas instrumento de salvación de tu familia. ¡Corre!

14

¡Madres y padres, por amor de Dios, recen antes de que sea demasiado tarde! ¡No dejen que el demonio adopte a sus hijos! ¡Luchen por ellos!

¡Maridos y esposas, permanezcan alerta y oren el uno por el otro, sin cesar!

"Velad y orad, para que no caigáis en tentación" (Mt 26, 41a).

¡Aleluya! ¡Estoy hablando de victoria! Estoy hablando de la victoria que se nos da por la fe en Jesús y por la perseverancia en el poder de su nombre, *"para que al nombre de Jesús toda rodilla se doble en los cielos, en la tierra y en los abismos"* (Flp 2,10).

"No temas, que contigo estoy yo" (Is 41,10a).

"No temas, yo te ayudo" (Is 41,13b).

¡Yo estoy hablando de victoria! ¡Aleluya! De la victoria en Jesús para todos aquellos que creen en su nombre, viven su Palabra, rezan todos los días y participan frecuentemente de la misa, porque, al nombre de Jesús, todos los demonios que atormentan tu vida y tu familia se doblan. ¡Gloria a Dios!

"Estas son las señales que acompañarán a los que crean: en mi nombre expulsarán demonios" (Mc 16,17a).

Por la autoridad del nombre de Jesús y por el poder de su Sangre redentora, expulso a todo espíritu inmundo que atormenta mi vida y a mi familia. Declaro solemnemente que mi familia y yo somos de Jesús, ¡apenas de Jesús! Jesús es nuestro único Dios, Señor y Salvador.

Amén y amén.

Y todos los espíritus inmundos que están agrediendo a tu familia a través de los medios de comunicación y de las malas compañías se doblarán al nombre poderoso de Jesús.

Quiero repetir: aún hay esperanza de salvación para ti y tu familia.

¡SALVA A TU FAMILIA!

Hoy, en nombre de Jesús, te están convocando para esa grande lucha en defensa de tu familia. Sí, a tí. No vengas a decir más tarde que son los amigos de tus hijos, o los amigos de tu marido, o las amistades de la esposa, o las telenovelas, las revistas, los programas de televisión, las películas, los responsables por la destrucción de tu familia. La culpa es siempre y siempre será tuya, pues hoy, ahora, tomas tú conciencia de los problemas que tu familia vive y, lo que es más importante, tú descubres la solución para enfrentarlos y el poder para vencerlos.

La familia mundial, tu familia necesita salvación y **te necesita** a tí. Jesús te está convocando a convertirte en instrumento de salvación, cura y reconciliación familiar.

Ven corriendo a integrarte a esta gran campaña.

¡SALVA A TU FAMILIA!

"Estas son las señales que acompañarán a los que crean: en mi nombre expulsarán demonios, hablarán en lenguas nuevas, tomarán serpientes en sus manos y aunque beban veneno no les hará daño; impondrán las manos sobre los enfermos y se pondrán bien" (Mc 16,17-18).

"Ellos salieron a predicar por todas partes, colaborando el Señor con ellos y confirmando la Palabra con las señales que la acompañaban" (Mc 16,20).

16

Basta que una persona de la familia crea verdaderamente en Jesús, obedezca sus preceptos, viva su Palabra, se abra al poder del Espíritu Santo, que recibirá la fuerza de lo alto para orar, interceder, ayunar, luchar y combatir en la fe *"contra los principados, contra las potestades, contra los dominadores de este mundo tenebroso, contra los espíritus del mal que están en las alturas"* (Ef 6,12), los cuales están destruyendo tu hogar y tu familia. Y tal fuerza se da *"para que se conviertan de las tinieblas a la luz, y del poder de Satanás a Dios; y para que reciban el perdón de los pecados y una parte en la herencia entre los santificados, mediante la fe en mí [Jesús]"* (Hch 26,18). Esa persona – tú – probará, entonces, el poder de Dios *"que nos lleva siempre en su triunfo, en Cristo"* (II Co 2,14a).

Quiero alertarte ahora para el siguiente texto de la Biblia:

"Entonces dice [el espíritu impuro]: 'Me volveré a mi casa, de donde salí.' Y al llegar la encuentra desocupada, barrida y en orden. Entonces va y toma consigo otros siete espíritus peores que él; entran y se instalan allí, y el final de aquel hombre viene a ser peor que el principio" (Mt 12,44-45a-b).

Podemos usar esa afirmación de Jesús aplicándola no sólo a nuestra casa, en el sentido de nuestra alma, sino también a nuestra casa, familia.

Si el demonio se aproxima de una casa donde hay por lo menos una persona convertida a Jesucristo, en comunión con Él a través de la oración, de la meditación y de la práctica de la Palabra de Dios, de la frecuencia a los sacramentos y de la participación en una comunidad de fe, esa persona sabrá defender su hogar y su familia de los ataques de satanás y lo hará por el poder de la oración y del ayuno, con la autoridad que Dios concede a los que creen en Jesucristo para ordenar:

¡Espíritu impuro, en nombre de Jesús, sal de mi casa! No tenemos nada que ver contigo. Pertenecémos a Jesús. Jesús es nuestro único Señor, Dios y Salvador. Yo te expulso y te prohibo que vuelvas. En nombre de Jesús, apártate y no te atrevas a tocar a cualquiera de nosotros, pues somos consagrados a Jesús. Esta casa (familia, matrimonio, hogar, persona) tiene dueño: ¡Jesucristo, el Señor! ¡Aleluya!

Presta atención: si por lo menos una persona de la familia ora e invoca el poder en el nombre de Jesús, su hogar no está vacío da la presencia de Dios, porque esa persona, en nombre de Jesús, tiene el poder de expulsar todo mal que toque a su vida y a su familia.

"Para que al nombre de Jesús toda rodilla se doble en los cielos, en la tierra y en los abismos" (Flp 2,10).

Busca a Jesús, busca la salvación y expulsa a todo espíritu del mal que esté asolando tu vida, tu matrimonio y a tus hijos.

¡NO DEJES QUE EL DEMONIO ADOPTE A TU FAMILIA! ¡LUCHA POR ELLA!

Padre santo, una vez más Te pedimos con confianza e insistencia: Bautízanos con el Espíritu Santo; llénanos con tu Espíritu de entereza y coraje; levanta nuestra cabeza y haznos fuertes en la fe, firmes en tu Palabra, victoriosos en Jesucristo; sumérgenos en tu Espíritu ahora; renueva nuestra vida; renueva nuestro matrimonio; reaviva la llama que recibimos en el sacramento del bautismo; haznos nacer de nuevo, criaturas nuevas y valientes para enfrentar la batalla espiritual que se nos presenta, confiando en

la presencia de Jesús que camina siempre delante de nosotros como ¡el grande y poderoso Señor de los ejércitos!

"En el mundo tendréis tribulación. Pero ¡ánimo!: yo he vencido al mundo" (Jn 16,33b).

¡Aleluya! Nuestra victoria está en el nombre y en la cruz de nuestro Señor y Salvador Jesucristo. ¡Aleluya!

ORACIÓN DE SAN FRANCISCO DE ASÍS

¡Señor, haz de mí un instrumento de tu paz [en mi familia]!
Donde haya odio, que yo lleve el amor.
Donde haya ofensa, que yo lleve el perdón.
Donde haya discordia, que yo lleve la unión.
Donde haya duda, que yo lleve la fe.
Donde haya error, que yo lleve la verdad.
Donde haya desesperación, que yo lleve la esperanza.
Donde haya tristeza, que yo lleve la alegría.
Donde haya tinieblas, que yo lleve la luz.

¡Maestro! haz que yo busque más
consolar, que ser consolado;
comprender, que ser comprendido;
amar, que ser amado,
porque dando es como se recibe;
perdonando es como se es perdonado;
y muriendo es como se vive para la vida eterna.
Amén.

ORACIÓN POR LA FAMILIA

"Y la oración de la fe salvará al enfermo, y el Señor hará que se levante, y si hubiera cometido pecados, le serán perdonados. Confesaos, pues, mutuamente vuestros pecados y orad los unos por los otros, para que seáis curados" (St 5,15-16).

Padre eterno, Dios todopoderoso, Creador del cielo y de la tierra, Te alabamos y bendecimos tu santo nombre. En este momento, queremos colocar en tu presencia a todas las familias del mundo, especialmente a las familias cristianas y, en particular, a las familias de todos aquellos que están orando con nosotros, unidos en la fe y en comunión Contigo.

Queremos agradecerte y alabarte por nuestro hogar, por nuestra familia, por la vida del esposo, de la esposa, de los hijos, por la bendición matrimonial, por el sacramento que un día recibimos en tu presencia. Hoy, con mucha fe y confianza, queremos colocar a cada familia en el Corazón de Jesús.

Señor Jesús, Tú que dijiste: *"Lo que Dios unió no lo separe el hombre"* (Mt 19,6), **bendice a nuestra familia y a todas las familias del mundo. Clamamos tu gracia y el poder de tu Sangre redentora para lavar a cada familia de todo mal y pecado. Tú bien sabes, Jesús, cuán agredidas han sido por el mal; muchas y muchas celadas se han levantado contra los hogares cristianos.**

Hoy, especialmente, queremos consagrar cada hogar y cada familia a tu Sagrado Corazón y al Corazón Inmaculado de María.

Y nosotros queremos tu perdón, Señor, por todas las veces que hemos contribuido para que, en nuestra familia, no haya paz, amor, comprensión, unidad; por toda agresión que cometemos contra nuestros seres queridos; por las ofensas y por las mentiras; por la falta de comprensión y receptividad.

Perdón, Señor, por todo egoísmo; por toda humillación que cada uno de nosotros, como miembros de la familia, imponemos a los otros; por la falta de diálogo; por las veces que nos cerramos en nosotros mismos y alimentamos nuestra rabia y rencor contra nuestro cónyuge e hijos.

Perdón, Señor, perdón. Perdón por todas las veces que, airados, reaccionamos con violencia contra las personas que el Señor nos concede para compartir la vida en familia.

Perdón, Señor, por toda indiferencia y frialdad en nuestro tratamiento mutuo; por las veces que nuestras actitudes son tan extremas que llevan a nuestros entes queridos a pecar contra nosotros y contra Ti.

Perdón, Señor, por todas las veces que nos irritamos tanto que llegamos a blasfemar y llevamos a otros también a la blasfemia. Perdón, Señor, perdón.

Colocamos delante de Ti todos nuestros pecados y, arrepentidos, clamamos por tu misericordia.

¡Señor Jesús, ten compasión de nosotros! Queremos tomar posesión de tu Sangre redentora y pedir el poder de esta Sangre actuando en nosotros, en nuestros hogares y en nuestras familias, para purificarnos y liberarnos de toda opresión causada por el pecado. Queremos también pedir que esta Sangre cierre las brechas que hemos dado al mal para actuar en nosotros y en nuestros familiares.

Señor, en tu nombre, bendice a cada miembro de nuestra familia. Y nosotros Te alabamos, bendecimos y agradecemos por la vida de cada uno de ellos. Que nuestro corazón sea tocado por tu Santo Espíritu. Que nuestros ojos espirituales se abran y vean las cualidades de aquellos que el Señor colocó a nuestro lado y, así, podamos perdonarlos con tu perdón y amarlos con tu amor, como Tú nos has amado.

Señor Jesús, sabemos que tienes el poder de hacer nuevas todas las criaturas. Por eso, Te pedimos que tu mano poderosa venga a curar nuestro ser, a cada miembro de nuestra familia, el interior de cada uno de nosotros, nuestras relaciones, tornándolo todo nuevo, pues está escrito: *"El que está en Cristo, es una nueva creación; pasó lo viejo, todo es nuevo"* (II Co 5,17).

Te pedimos que entres en nuestro hogar y estés presente en nuestra familia, en nuestro matrimonio, en nuestras relaciones, en fin, en el corazón de cada persona que vive con nosotros, que participa de nuestra vida. Que, a partir de hoy, tu Espíritu actúe tan poderosamente que podamos vivir en nuestro hogar, con nuestros familiares, según tus leyes y mandamientos. Que el esposo sepa asumir su posición de jefe del hogar, de sacerdote de esta pequeña Iglesia doméstica y que sepa amar a la esposa y a los hijos como Jesús amó a la Iglesia al punto de dar la vida por ella. Que la esposa esté a su lado como compañera y sepa ser sumisa al marido como al Señor, consciente de que ésta es la ley de Dios; y que el Espíritu Santo revele a su espíritu lo que es la sumisión según la Palabra divina. Que los hijos amen a sus padres, honrándolos y obedeciéndoles, porque así recibirán la bendición de Dios y entrarán en la promesa de una vida larga y feliz en la faz de la tierra. Que los padres no irriten a sus hijos a punto de tornarlos agresivos y desanimados, sino que sepan corregirlos con amor, conduciéndolos al Señor **Jesús** (ver Ef 5,21-28; 6,1-4).

Padre santo, Te alabamos y bendecimos, consagramos nuestra vida, nuestro hogar y nuestra familia a Ti.

En nombre de Jesús y por la intercesión de la Virgen María, Madre de Dios y nuestra.

Amén y amén.

2   ¡Jesús, ten piedad de mi familia y de mí!

"En cambio el publicano, manteniéndose a distancia, no se atrevía ni a alzar los ojos al cielo, sino que se golpeaba el pecho, diciendo: '¡Oh Dios! ¡Ten compasión de mí, que soy pecador!' Os digo que éste bajó a su casa justificado y aquél no. Porque todo el que se ensalce, será humillado; y el que se humille, será ensalzado" (Lc 18,13-14).

San Agustín decía: "Temo a Dios que pasa y no vuelve más."

Éste es el temor de perder la gracia de Dios que está pasando por nuestra vida y de no agarrarla con los brazos, con las manos y con todo el corazón.

Hermano mío, la gracia de Dios está pasando ahora por nuestra vida y puede ser que ella no vuelva más. Entonces, es importante que abramos el corazón al poder de la Palabra y del nombre de Jesús, para que en Jesús nos agarremos firmemente a la gracia que Dios está derramando sobre nosotros ahora y la llevemos a cada miembro de nuestra familia.

Te voy a contar dos historias.

Esta semana me enteré de que una joven participante de un grupo de oración tuvo un episodio muy triste en su vida. En un determinado día, en su casa, oyó ella tres tiros.

Corrió al cuarto donde se dieron los tiros y vio a su hermano extendido en el suelo. Lo agarró por el brazo, hizo con que renunciase a la vida de pecado y le suplicó: "Di: '¡Jesús, ten piedad de mí!' Repite: '¡Jesús, ten piedad de mí!'" Y éstas fueron las últimas palabras del muchacho.

Este muchacho, por medio de su hermana, había cumplido lo que Jesús dijo de su Palabra: *"En cambio el publicano, manteniéndose a distancia, no se atrevía ni a alzar los ojos al cielo, sino que se golpeaba el pecho, diciendo: '¡Oh Dios! ¡Ten compasión de mí, que soy pecador!'"* (Lc 18,13).

Y Jesús continúa: *"Os digo que éste bajó a su casa justificado"* (Lc 18,14a).

Cuando estamos en pecado grave o si hace mucho tiempo que no buscamos el sacramento de la Reconciliación, debemos procurar, cuanto antes, un sacerdote para hacer con él una buena confesión y recibir, del Señor Jesús, la absolución sacramental de nuestros pecados.

En caso de pecado leve, en cambio, podemos hacer de la oración del publicano – *"¡Jesús, ten piedad de mí!"* – nuestra oración y seremos inmediatamente lavados en la Sangre de Jesucristo nuestro Señor. Quien dice esto es el propio Jesús, pues afirmó que el publicano fue justificado.

Ahora, en el caso de ese joven, a pesar de vivir en pecado grave, creemos firmemente que Jesús, en su misericordia, lo salvó. La Palabra de Dios nos da esa seguridad: *"Pues todo el que invoque el nombre del Señor se salvará"* (Rm 10,13).

Me he enterado también del fallecimiento de una persona muy conocida en el ámbito mundial; murió durmiendo. Me pregunté: "¿Cuándo duermo estoy preparado para ir al encuentro del Señor?"

Llegué a la conclusión de que no, porque la Palabra de Dios dice que el justo peca siete veces al día (ver Pr 24,16).

Eso quiere decir que somos pecadores y... ¿cuántas veces pecamos por día? Necesitamos, pues, a cada momento, invocar el nombre y la Sangre de Jesús sobre nosotros y sobre nuestra familia: "¡JESÚS, TEN PIEDAD DE MI FAMILIA Y DE MÍ!"

Como consecuencia de ese episodio, de ahora en adelante, antes de dormir, hago una confesión de mis pecados y digo: "¡JESÚS, TEN PIEDAD DE MI FAMILIA Y DE MÍ! Lávame con tu Sangre, porque, si yo me muero durmiendo, quiero ir a tus brazos."

También tú lo quieres, ¿no es verdad? Tú no quieres morir en pecado ¿no es así? Al dormir, para estar puros y preparados para el encuentro con los brazos de Jesús, necesitamos arrepentirnos de nuestros pecados y clamar: "JESÚS, TEN PIEDAD DE MI FAMILIA Y DE MÍ!"

El otro día, me pasó algo interesante. Me fui a acostar un poco resentido con una determinada persona (es evidente que no debería sentirme así, pero lo estaba) y pensé entonces: "Si Jesús me llamase ahora, ¿cómo puedo ir al cielo resentido de esta manera? De qué forma podré presentarme a Dios Padre con el corazón manchado?" Sentí vergüenza de imaginarme mirando a Dios en aquel estado. Percibí entonces que tenía que perdonar a esa persona antes de dormir y también pedirle perdón. Clamé a la misericordia de Dios y a la Sangre de Jesús y recé: "¡JESÚS, TEN PIEDAD DE MI FAMILIA Y DE MÍ!"

Esa experiencia es válida para ti también, y debes trasmitirla a cada uno de los miembros de tu familia. Necesitamos, a todo momento, estar preparados para el encuentro con Jesús, pues Él mismo dice: *"Velad, pues, porque no sabéis ni el día ni la hora"* (Mt 25,13).

Es importante que al dormir hagas, como siempre lo he hecho yo, esa oración de reconciliación con todas las personas y, principalmente, si tienes cualquier tipo de resentimiento con relación a los de tu familia. ¿No es una buena idea? ¡Este es el momento oportuno! ¡Este es el momento de la salvación! El Señor nos dice en su Palabra: *"En tiempo favorable te escucharé, y en día nefasto te asistiré'* (Is 49,8a). *¡Mirad!, ahora es el tiempo favorable; ahora el día de salvación"* (II Co 6,2b).

El segundo hecho se relaciona con una carta que recibimos del interior del Brasil, de una joven de 22 años, que había sido abandonada por el marido cinco meses después de haberse casado. Ella nos contó que un domingo por la tarde, estando desesperada y llorando sola en su cuarto, conectó la radio y oyó el programa Jesús te Ama. El tema del programa era justamente éste: "¡Jesús, ten piedad de mí!" En el momento de la oración, ella se puso de rodillas y comenzó a clamar: "¡Jesús, ten piedad de mí! ¡Jesús, ten piedad de mí!"

Al final del programa, la joven se dirigió a la ventana, la abrió, miró hacia afuera y sintió que las flores le sonreían, los pajaritos cantaban, ¡todo brillaba! ¡Había una felicidad increíble en su corazón! La paz que no tenía hacía unos minutos y la alegría que ya no descubría en su vida llegaron a su corazón por haber pronunciado: "¡Jesús, ten piedad de mí!"

Y Jesús tuvo piedad de esa joven. La joven esposa abandonada suplicó no solamente con la boca, sino con el corazón y todo su ser: "¡Jesús, ten piedad de mí!"

Estamos en la Renovación Carismática Católica hace 16 años durante los que ningún otro texto ha producido un fruto tan grande como éste: "¡Jesús, ten piedad de mí!"

Vamos a leer nuevamente el texto de San Lucas:

"En cambio el publicano, manteniéndose a distancia, no se atrevía ni a alzar los ojos al cielo, sino que se golpeaba el pecho, diciendo: '¡Oh Dios! ¡Ten compasión de mí, que soy pecador!' Os digo que éste bajó a su casa justificado" (Lc 18,13-14a).

Personalmente, yo me siento muy agradecido y alegre cuando las personas me recuerdan que debo orar más veces: **"¡JESÚS, TEN PIEDAD DE MI FAMILIA Y DE MÍ!"**

El objetivo de este texto no es sólo llevarte a recordar siempre esa poderosa oración, sino también a crear un motivo para que clames constantemente por la misericordia de Dios sobre ti y sobre tus familiares.

Debemos clamar decenas, centenas, millares de veces al día: **"¡JESÚS, TEN PIEDAD DE MI FAMILIA Y DE MÍ!"**

En el Evangelio de San Lucas encontramos el pasaje del ciego de Jericó: *"Al oír que pasaba gente, preguntó qué era aquello. Le informaron que pasaba Jesús el Nazareno"* (Lc 18,36-37).

Así como Jesús de Nazaret pasó en la vida de aquel ciego – presta bien atención –, ¡Él está pasando ahora en tu vida! Aprovecha esta oportunidad: arrepiéntete de tus pecados, reconcíliate con Dios y ora: **"¡JESÚS, TEN PIEDAD DE MI FAMILIA Y DE MÍ!"**

Ora cada día, cada momento de tu vida.

Somos pecadores, y la Palabra de Dios dice por medio de San Juan: *"Si decimos: 'No tenemos pecado', nos engañamos y la verdad no está en nosotros"* (I Jn 1,8).

Necesitamos estar siempre reconciliados con Jesús, porque nadie sabe ni el día ni la ora en que Él vendrá; y necesitamos estar en paz con Él para que la gracia de Dios sea cada vez más abundante en nuestra vida y, por medio de nosotros, pueda revertir a nuestra familia, amigos, ambiente de trabajo y social.

Esto es lo que tú necesitas decir siempre: **"¡JESÚS, TEN PIEDAD DE MI FAMILIA Y DE MÍ!"**

En la tristeza di: **"¡JESÚS, TEN PIEDAD DE MI FAMILIA Y DE MÍ!"**

En el sufrimiento, debes decir: "¡JESÚS, TEN PIEDAD DE MI FAMILIA Y DE MÍ!"

En la soledad: "¡JESÚS, TEN PIEDAD DE MI FAMILIA Y DE MÍ!"

En los problemas matrimoniales: "¡JESÚS, TEN PIEDAD DE MI FAMILIA Y DE MÍ!"

En los problemas de relacionamiento con los hijos: "¡JESÚS, TEN PIEDAD DE MI FAMILIA Y DE MÍ!"

En los problemas profesionales: "¡JESÚS, TEN PIEDAD DE MI FAMILIA Y DE MÍ!"

Cuando haya odio, dolor o resentimiento en tu corazón: "¡JESÚS, TEN PIEDAD DE MI FAMILIA Y DE MÍ!"

En la alegría: "¡JESÚS, TEN PIEDAD DE MI FAMILIA Y DE MÍ!"

En la paz: "¡JESÚS, TEN PIEDAD DE MI FAMILIA Y DE MÍ!"

En la depresión: "¡JESÚS, TEN PIEDAD DE MI FAMILIA Y DE MÍ!"

En las dificultades familiares: "¡JESÚS, TEN PIEDAD DE MI FAMILIA Y DE MÍ!"

En las dificultades financieras: "¡JESÚS, TEN PIEDAD DE MI FAMILIA Y DE MÍ!"

Cuando todo esté bien: "¡JESÚS, TEN PIEDAD DE MI FAMILIA Y DE MÍ!"

Al levantarte, sonríete y di: "¡JESÚS, TEN PIEDAD DE MI FAMILIA Y DE MÍ!"

Cuando tengas miedo en el corazón: "¡JESÚS, TEN PIEDAD DE MI FAMILIA Y DE MÍ!"

Cuando tu pensamiento no sea del Señor, di: "¡JESÚS, TEN PIEDAD DE MI FAMILIA Y DE MÍ!"

Cuando seas tentado por el enemigo, por satanás, di: "¡JESÚS, TEN PIEDAD DE MI FAMILIA Y DE MÍ!"

Cuando caigas en pecado: "¡JESÚS, TEN PIEDAD DE MI FAMILIA Y DE MÍ!"

En la debilidad: "¡JESÚS, TEN PIEDAD DE MI FAMILIA Y DE MÍ!"

Cuando te sientas fuerte: "¡JESÚS, TEN PIEDAD DE MI FAMILIA Y DE MÍ!"

En las pequeñas y grandes tentaciones: "¡JESÚS, TEN PIEDAD DE MI FAMILIA Y DE MÍ!"

Decenas, centenas, millares de veces al día: "¡JESÚS, TEN PIEDAD DE MI FAMILIA Y DE MÍ! ¡JESÚS, JESÚS, JESÚS, TEN PIEDAD DE MI FAMILIA Y DE MÍ!"

En fin, en todas las circunstancias de la vida, di siempre: "¡JESÚS, TEN PIEDAD DE MI FAMILIA Y DE MÍ! ¡JESÚS, TEN PIEDAD DE MI FAMILIA Y DE MÍ!"

Esa oración, cuando se hace con fe y con el corazón arrepentido, tiene el poder de perdonar los pecados y borrar las faltas leves (ver Lc 18,13-14). En caso de pecado grave, ya sabes, es necesario buscar la paz con Dios por medio del Sacramento de la Reconciliación, ministrado por un sacerdote (ver Jn 20,22-23).

Debemos clamar – quiero insistir – no solamente una, dos, sino decenas centenas, millares de veces al día: "¡JESÚS, TEN PIEDAD DE MI FAMILIA Y DE MÍ! ¡JESÚS, TEN PIEDAD DE MI FAMILIA Y DE MÍ!"

La Palabra de Dios nos lo dice a cada uno de nosotros: *"Siempre en oración y súplica, orando en toda ocasión"* (Ef 6,18a).

Debemos, pues, orar a cada instante de nuestra vida: "¡JESÚS, TEN PIEDAD DE MI FAMILIA Y DE MÍ! ¡JESÚS, TEN PIEDAD DE MI FAMILIA Y DE MÍ!"

Este capítulo viene justamente a recordar y enseñar a cada uno de nosotros esta oración poderosísima: "¡JESÚS, TEN PIEDAD DE MI FAMILIA Y DE MÍ!"

Jesús, Te pedimos perdón y nos arrepentimos de nuestros pecados. Ten misericordia de nosotros, Señor, y de cada miembro de nuestra familia. Borra nuestros pecados por el poder de tu nombre y de tu Sangre redentora.

Ahora, hermano mío, quiero que digas en voz alta: "¡JESÚS, TEN PIEDAD DE MI FAMILIA Y DE MÍ! ¡JESÚS, TEN PIEDAD DE MI FAMILIA Y DE MÍ! ¡JESÚS, TEN PIEDAD DE MI FAMILIA Y DE MÍ! ¡JESÚS, TEN PIEDAD DE MI FAMILIA Y DE MÍ!"

Al acostarnos, vamos a pedir que nuestra mente, consciente y subconsciente continúen orando durante el sueño: "¡JESÚS, TEN PIEDAD DE MI FAMILIA Y DE MÍ!"

Todas las veces que hacemos esta oración, una sonrisa viene a nuestros labios y una paz increíble, a nuestro corazón; una paz que no conocemos en el mundo, porque sólo Jesús tiene piedad de nosotros.

Y cuando clamamos por su misericordia, Jesús, que es paz y alegría (ver Jn 14,27a; Lc 2,10), derrama poderosamente su amor, su alegría y su paz en nuestro corazón.

Sí, esta oración es para todo y cualquier momento de nuestra vida y para cada miembro de nuestra familia. Al levantarnos, de mañana, durante el día, a la noche, al acostarnos, debemos decir: "¡JESÚS, TEN PIEDAD DE MI FAMILIA Y DE MÍ!"

Somos muy débiles... San Pablo, que era santo, reconoció su debilidad y comprendió que solamente era fuerte en Jesús. Y... ¿nosotros, entonces? También somos débiles y necesitamos de la fuerza y de la misericordia de Dios. Recibir la misericordia del Señor es estar junto al corazón de Dios, viviendo dentro del corazón de Jesús y, al mismo tiempo, tenerlo viviendo en nuestro corazón.

"¡JESÚS, TEN PIEDAD DE MI FAMILIA Y DE MÍ!"

Te confieso – quiero insistir – que me siento profundamente feliz cuando alguien me recuerda que siempre debo hacer esta oración. Y todas las veces que esto acontece, la intensifico con alegría en mi vida y siento que nada más es tan importante como antes, a no ser Jesucristo en mi corazón. Y esto te va a pasar a ti también.

Si tú, hermana mía, estás cocinando, cosiendo, di: "¡JESÚS, TEN PIEDAD DE MI FAMILIA Y DE MÍ!"

O si estás viendo una telenovela, pide: "¡JESÚS, TEN PIEDAD DE MI FAMILIA Y DE MÍ!" Pide que el Señor retire de tu corazón el deseo de ver pecados, de ver la destrucción de los hogares y de los matrimonios traicionándose mutuamente: "¡JESÚS, TEN PIEDAD DE MI FAMILIA Y DE MÍ!"

Cuando nos preocupamos nuevamente con nuestros hijos, con nuestra vida, con nuestro trabajo, con la falta de dinero, con enfermedades, en fin, con todas las dificultades por las cuales pasan todos los hombres y mujeres, diremos entonces: "¡JESÚS, TEN PIEDAD DE MI FAMILIA Y DE MÍ!"

Vamos a hacer como aquella joven señora que, no encontrando más sentido a la vida y llorando amargada y triste por haber sido abandonada por el marido, clamó: "¡Jesús, ten piedad de mí!" La joven, al abrir la ventana y ver las flores sonriendo, los pájaros cantando y el sol brillando, sintió todo el amor de Dios por ella; sintió la alegría que ya no probaba y la paz que ni conocía ni vivía más. Instantáneamente, fue curada y amada por Dios, el mayor amor que existe pues *"Dios es Amor"* (I Jn 4,16b). El amor de Dios superó el vacío dejado por la ausencia del marido. Así también el amor de Dios rebasa todo amor que existe, porque su dimensión es infinita.

Esto es lo que necesitamos hacer: llenar nuestro corazón de la piedad, de la misericordia y del amor de Dios, porque nadie da lo que no tiene y *"de la abundancia de su corazón habla su boca"* (Lc 6,45c). Y, con el corazón, la boca y todo el ser llenos del amor, de la piedad y de la misericordia de Dios en Jesucristo Nuestro Señor, vamos, también nosotros, a tener piedad de las personas de nuestra familia y de todos nuestros hermanos, así como Jesús la tiene de nosotros: "**¡JESÚS, TEN PIEDAD DE MI FAMILIA Y DE MÍ!**"

Esa oración nos da una fuerza fantástica; ella nos hace erguir la cabeza y hace que venzamos a satanás. Vencemos la tentación no con nuestra sabiduría, ni filosofías, ni con nuestro poder pequeño y fallo, sino con el poder del nombre y de la Sangre de Jesucristo Nuestro Señor. ¡Aleluya!

¿Y sabes qué más? Cuando vencemos con Jesús las tentaciones, sucede en nuestra vida exactamente lo que sucedió en la vida de Él. Al ser tentado por el demonio después de cuarenta días de ayuno, Jesús venció a satanás, y Dios mandó a sus ángeles para que le sirviesen (ver Mt 4,1-11). Lo mismo nos sucede a nosotros: después de haber sido tentados, Dios envía a sus ángeles para que reconforten nuestro corazón y alegren nuestra vida.

"En cambio el publicano, manteniéndose a distancia, no se atrevía ni a alzar los ojos al cielo, sino que se golpeaba el pecho, diciendo: '¡Oh Dios! ¡Ten compasión de mí, que soy pecador!'" (Lc 18,13).

Lo dije y lo repito: ese texto tiene el poder de mudar nuestro corazón y nuestra vida. Lo que escribí fue justamente lo que Jesús dijo: que aquel publicano volvió para casa justificado.

¿También tú quieres ser justificado? También tú quieres ser perdonado ¿no es cierto? ¿Y quieres que todos los miembros de tu familia sean justificados y perdonados?

Haz, entonces, como hizo aquel publicano: arrepiéntete de todo corazón y di: "¡JESÚS, TEN PIEDAD DE MI FAMILIA Y DE MÍ, PORQUE SOMOS PECADORES!"

ORACIÓN

¡Glorias y alabanzas a Ti, Jesús! Te agradecemos, alabamos y bendecimos por el poder de tu Palabra. Te bendecimos, Señor, por tu bondad, paciencia y misericordia para con nosotros. Queremos glorificarte, Señor, porque nuestro corazón está más leve, pues fue lavado en tu preciosa Sangre.

Ahora que nos arrepentimos de nuestros pecados y rezamos con toda fe: "¡JESÚS, TEN PIEDAD DE MI FAMILIA Y DE MÍ! ¡JESÚS, TEN PIEDAD DE MI FAMILIA Y DE MÍ! ¡JESÚS, TEN PIEDAD DE MI FAMILIA Y DE MÍ! ¡JESÚS, TEN PIEDAD DE MI FAMILIA Y DE MÍ!", nuestro corazón está alegre, lleno de alabanza, gratitud y de la gracia de Dios.

Acogemos la gracia que derramas ahora en nuestra vida, Señor, y no la dejamos pasar sin que produzca fruto en nosotros y en nuestra familia. Y esto es motivo de alabanza, de agradecimiento; motivo para que digamos: "¡Jesús, cómo Tú nos amas tanto y cómo nosotros Te amamos tan poco!"

Nos comprometemos con el Señor, de hoy en adelante, todos los días y siempre, a proclamar todavía más:

¡Alabado y bendito sea tu nombre!

¡Bendito es Aquél que viene en nombre del Señor!

Bendito sea el Nombre que nos salva, cura y libera: Jesús.

Bendita sea tu Sangre, que tiene el poder de lavarnos y purificarnos de todo pecado y de todo mal.

¡Amén, Jesús! ¡Gloria a Ti, Señor!

Hermano mío, tú, con seguridad, hoy por la noche todavía, antes de acostarte, te reconciliarás con Dios, con los de tu familia y con todos tus hermanos, ¿no es verdad? Pero no vamos a esperar a la noche. ¿Por qué no ahora mismo? ¿Por qué no ahora que la Palabra de Dios nos fue proclamada? ¿Vamos a arrepentirnos y a reconciliarnos unos con otros por medio de Jesús?

¡Vamos! ¡Para la lectura y comienza ahora mismo!

Yo me confieso pecador, Señor Jesús.

"¡Oh Dios! ¡Ten compasión de mí, que soy pecador!"
(Lc 18,13b).

El Señor exaltó la humildad del publicano y confirmó la salvación suya y la nuestra. ¡Aleluya!

"Os digo que éste bajó a su casa justificado" (Lc 18,14a).

Ven, Señor Jesús. ¡Ven, Señor! Ven con tu amor y con tu poder. Ven con tu Espíritu Santo e inunda nuestro corazón con tu presencia.

Y ahora, hermano mío, este momento pertenece solamente a Jesús y a ti. Por eso yo te exhorto a colocarte en la presencia de Jesús. ¡Él está vivo y te ama profundamente! Vamos todos nosotros, unidos en una sola fe, en un solo bautismo, en un solo Espíritu, a adorar a nuestro Dios.

Padre santo, Padre eterno, Padre de nuestro Señor Jesucristo, Padre creador, nuestro Padre celeste, Te

amamos, adoramos y bendecimos porque Tú eres santo, Tú eres el Creador, el Altísimo, la propia Vida. Nosotros Te amamos, oh Dios, porque Tú eres nuestro Padre. Nosotros Te amamos, oh Padre, porque nos salvas de la condenación eterna, mediante la Sangre de Jesucristo, tu Hijo amado.

Te adoramos, Jesús, Verbo de Dios, Segunda Persona de la Santísima Trinidad, Dios encarnado, nuestro Salvador, nuestro Redentor, nuestro Señor. A Ti, toda alabanza, toda honra, toda gloria. Bendito sea tu nombre. Bendita sea tu Sangre. Bendita sea tu santa Palabra.

Oh Espíritu de Dios, Espíritu consolador, Abogado nuestro, Paráclito, Amigo, nosotros Te amamos y Te adoramos. Tú que habitas nuestro corazón, bendito seas para siempre. Tú que eres la verdad y das testimonio dentro de nosotros de Jesucristo resucitado, recibe ahora toda honra, toda alabanza y toda gloria.

Oh Padre Eterno, nosotros Te agradecemos por este momento en que Tu gracia está fluyendo para nuestro corazón, para nuestra alma, para nuestra vida, por medio de Jesucristo, en la fuerza de tu Espíritu. Sé Tú bendito en toda la tierra. Que nuestras rodillas se doblen ante el santo nombre de Jesucristo. Que nuestra lengua proclame el señorío de Jesús en nuestra vida, en nuestra familia, en nuestro hogar. Alabado y bendito seas, Señor, para siempre.

Jesús, en este momento, nosotros nos allegamos a Ti. Oh Señor, quédate con nosotros, ten piedad de nosotros y de nuestra familia. Queremos ahora invocar sobre nosotros el poder y la fuerza de tu Espíritu Santo.

¡Ven, Santo Espíritu! ¡Ven, Señor! ¡En nombre de Jesús, ven! Trabaja nuestro corazón. Ven, Santo Espíritu, y danos el conocimiento de cuán pecadores somos, de cuánto necesitamos la salvación en Jesucristo. Concédenos la comprensión de cuánto hemos ofendido a Dios por causa de nuestros pecados. Danos un conocimiento más profundo de nosotros mismos, de nuestras debilidades, limitaciones, faltas, pecados, y concédenos, en nombre de Jesucristo, un profundo arrepentimiento. Quiebra nuestro corazón y danos un corazón nuevo, lleno de amor, perdón, paz, alegría y de tu presencia. Santo Espíritu, Te lo pedimos: Concédenos, y también a nuestra familia, la experiencia profunda de la necesidad que tenemos de Jesucristo como nuestro único Señor y Salvador. Permite que nos aproximemos del trono de la gracia del Señor Jesús y que, postrados, podamos clamar:

¡Jesús, ten piedad de nosotros!

¡Jesús, ten piedad de nuestra familia!

Ten misericordia de nosotros, porque somos pecadores.

Ten piedad de nosotros, por somos débiles.

Ten piedad de nosotros, porque somos vacilantes en la fe.

Ten piedad de nosotros, porque hemos traicionado tu amor.

Ten piedad de nosotros, porque hemos sido desobedientes a tu Palabra.

Ten piedad de nosotros, porque hemos sido infieles a tus mandamientos.

Ten piedad de nosotros, porque hemos abrigado odio, resentimiento, dolor y venganza en nuestro corazón.

Ten piedad de nosotros, porque muchas veces hemos pactado con las tinieblas.

Ten piedad de nosotros y de nuestros pecados.

Ten piedad, Señor, de nuestros descaminos.

Ten piedad, Señor, cuando buscamos cura, salvación, conocimiento y solución para nuestros problemas en lugares prohibidos por tu Palabra.

Ten piedad de nosotros, porque somos un pueblo pecador.

¡Misericordia, Jesús!

Lávanos en tu Sangre, pues creemos en el poder redentor de esta Sangre. ¡Perdónanos, Señor! Compadécete de nosotros que clamamos por tu misericordia! ¡Lávanos, Señor! Lava nuestro corazón, nuestra mente, nuestro cuerpo, nuestra vida. Lava a nuestra familia y a cada uno de los miembros de ella: marido, esposa, hijo, hija, suegro, suegra... Señor, lava nuestro hogar, lava nuestra ciudad, las naciones del mundo entero en el poder redentor de tu Sangre.

¡Nosotros creemos en Ti! ¡Quédate con nosotros, Jesús! ¡Quédate con nosotros!

Concédenos hoy, Señor, la vida de la gracia. Concédenos hoy tu paz, tu amor, la victoria sobre el pecado, la seguridad de la salvación. ¡Que nuestro corazón exulte de alegría en tu Espíritu, oh Dios!

En nombre de Jesús, nosotros Te pedimos, Padre santo, el don de tu Espíritu!

¡Ven, Espíritu Santo!

¡Ven, Espíritu de Jesús resucitado!

Ven, Espíritu de amor, de paz, de alegría, de unidad, de vida. Sopla sobre nosotros para que tengamos una vida nueva en comunión con nuestro Señor Jesucristo.

Ven, Espíritu de Dios, y actúa en medio de nosotros, por el nombre glorioso de nuestro Salvador Jesucristo.

Ven, Espíritu de Dios, y levanta a los muertos, ¡ahora! Levanta a los que están muertos en su espíritu y dales la vida en Jesucristo Nuestro Señor.

Ven, Espíritu Santo, y restaura los matrimonios y la convivencia conyugal.

Ven, Espíritu Santo, y cura a las familias.

Ven, Espíritu Santo, y libera a los cautivos de satanás, en el nombre poderoso de Jesucristo. Libera a nuestros entes queridos que permanecen presos a los vicios, a los tóxicos, a la impureza, al sexo, al pecado.

Ven, Espíritu Santo, y socórrenos en nuestras necesidades:

• La paz en nosotros y en nuestro hogar, porque está escrito: *"Porque él [Jesús] es nuestra paz"* (Ef 2,14a).

• La alegría en nuestra familia, porque está escrito: *"Os he dicho esto, para que mi gozo esté en vosotros, y vuestro gozo sea colmado"* (Jn 15,11).

• La cura para nuestro cuerpo enfermo, para todos los entes queridos que están enfermos y para todos aquellos que sufren, porque está escrito: *"Porque Yo soy Yahvéh, el que te sana"* (Ex 15,26d).

• La provisión material para nosotros; un trabajo digno para.............(nome), que está desempleado, porque escrito está: *"Fui joven, ya soy viejo, nunca vi al justo abandonado, ni a su linaje mendigando el pan"* (Sal 37[36],25).

• La bendición divina para nuestro hogar, porque está escrito: *"La bendición de Yahvéh es la que enriquece, y nada le añade el trabajo a que obliga"* (Pr 10,22).

• La prosperidad divina para nuestra familia, porque está escrito: *"Y mi Dios proveerá a todas vuestras necesidades con magnificencia, conforme a su riqueza, en Cristo Jesús"* (Flp 4,19).

• La salvación para todos nuestros familiares, porque está escrito: *"Ten fe en el Señor Jesús y te salvarás tú y tu casa"* (Hch 16,31).

• El don del Espíritu Santo para todos nosotros, porque está escrito: *"¡Cuánto más el Padre del cielo dará el Espíritu Santo a los que se lo pidan!"* (Lc 11,13b).

¡Oh Señor! son tantos los que en este momento claman por Ti; son tantos los que están presentándote sus dolores... Unidos a ellos, clamamos una vez más: ¡Señor, ten piedad! ¡Ten compasión! ¡Ten misericordia de nosotros y de nuestra familia!

Creemos en Ti, Padre, sabemos que eres fiel y que velas por el cumplimiento de tu Palabra. Por eso, erguimos nuestro corazón y todo nuestro ser a Ti para proclamar tu gloria, poder, majestad, para exaltar tu nombre y tu amor y declararte nuestra gratitud y alabanza.

En nombre de Jesús.

¡Amén y amén!

3   ¡Feliz la familia que sabe alabarte!

¡Muda tú y muda a tu familia, por el poder de la alabanza!

"¡Dad gracias a Yahvéh, porque es bueno, porque es eterno su amor!" (Sal 136[135],1).

¡Alabad, alabad y alabad! Alabad al Señor, porque Él es bueno.

Alabad al Señor Jesús, porque su misericordia es eterna.

Jesús te ama y a cada miembro de tu familia, a tu hogar y a todo el mundo.

El otro día, me desperté bien tempranito y fui a orar en el silencio del amanecer y de mi corazón. Mi alma estaba con sed de Dios, porque *"en Dios sólo el descanso de mi alma"* (Sal 62[61],2a). Sabía que Jesús iba a conversar conmigo, pues aquella era la cuarta mañana que me despertaba para orar y en todas esas veces oí la voz del Señor en mi corazón.

Jesús me dijo: *"Estos mensajes no son sólo para ti. Quiero que los trasmitas a otras personas."* Y ésta fue la primera exhortación del Señor: *"¡Alabanza! ¡Alabanza! ¡Alabanza!"*

El Señor Jesús nos pide alabanza. Jesús quiere familias de alabanza, un pueblo, una nación entera de alabanza. Vamos, pues, a alabar a Dios por lo que Él es y por su amor, porque

41

Dios es amor. Vamos a alabar también a Jesús, porque Él es nuestro único Dios, Salvador y Señor y es Él quien salva, cura y libera. Y vamos a alabar aún al Espíritu Santo de Dios, al Espíritu santificador, al Espíritu que hace nacer y renacer, a todo momento, a Jesucristo vivo en el corazón. Vamos a alabar el poder redentor de la Sangre de Jesús que derrota el mal, derrota a satanás:

"Ellos le vencieron [satanás] gracias a la sangre del Cordero"
(Ap 12,11a).

Vamos a alabar a Jesús en las alegrías y en las tristezas de nuestra familia; alabar a Jesús en la enfermedad o en la salud de cada miembro de ella. Todas las rodillas (y los problemas también) se doblen ante el nombre de Jesús (ver Flp 2,10).

No tengo duda de que es Jesús quien te está pidiendo eso a ti, y Él nos pide alabanza.

"Dichoso el pueblo [la familia] que la aclamación conoce"
(Sal 89[88],16a).

Hoy, ahora y a partir de este momento, Jesús pide que cada uno se integre en un gran ejército, en una grande familia: la familia de la alabanza. Que todos nosotros nos comprometamos con Él a hacer, durante todos los días de nuestra vida, por lo menos cinco minutos de alabanza.

"A Yahvéh, mientras viva, he de alabar, mientras exista salmodiaré para mi Dios" (Sal 146[145],2).

Jesús desea que ese compromiso se extienda a otras personas: esposo, esposa, hijos, padres, parientes, vecinos, amigos y compañeros de trabajo. Él quiere que todos se integren en este gran ejército: ¡la familia de la alabanza!

Vamos a formar un gran "ejército del *sí*", el "ejército del *sí*" a la Palabra de Dios, a Jesús y a la alabanza. Y este ejército será aún más completo si los miembros de tu familia ingresan en él.

Pedimos que, de ahora en adelante, nos escribas dando tu nombre y los nombres de las personas de tu familia que se comprometen con Jesús a hacer parte de la grande familia de la alabanza.

Dios habita en medio de las alabanzas y va a habitar en medio de esta grande familia, de ese gran ejército de la alabanza. Y el lema es éste: ¡MUDA TÚ Y MUDA A TU FAMILIA, POR EL PODER DE LA ALABANZA!

"Dichoso el pueblo [la familia] que la aclamación conoce"
(Sal 89[88],16a).

Millares y millares de personas ya están comprometiéndose con Jesús, integrándose en la familia de la alabanza, alabando diariamente. ¿Y tú?

Nuestros padres eran más felices que nosotros porque alababan mucho más. Y Jesús quiere corregir todo esto a partir de hoy, a partir de ahora, a través de ti y de este ejército que se va a formar: ¡el pueblo y la familia de la alabanza! ¡Aleluya!

Diga *sí*. Escríbanos, dando su nombre y el de cada miembro de su familia, para que un grupo de la Raboni Editora interceda por usted, por sus familiares y por sus necesidades.

Haga listas en su grupo de oración y envíelas. Haga listas en su trabajo, en su familia, entre sus amigos y vecinos que se comprometan a alabar al Señor Jesús por lo menos cinco minutos diarios.*

---

* Nuestra dirección es: Raboni Editora – Caixa Postal 1792 – CEP 13001-970 – Campinas – SP – Brasil.

Escriba: Yo (...............) voy a alabar al Señor Jesús por lo menos cinco minutos diarios y por toda la vida.

"Dichoso el pueblo [la familia] que la aclamación conoce"
(Sal 89[88],16a).

¡MUDA TÚ Y MUDA A TU FAMILIA, POR EL PODER DE LA ALABANZA!

Vamos a permitir que Jesús transforme nuestro corazón de piedra en un corazón de carne que alabe, bendiga, glorifique a Jesucristo como único Dios, Señor y Salvador.

Y esto es lo que queremos: alabar, agradecer y cantar salmos. Queremos decir: **"¡Aleluya! Jesús, muchas gracias por esta llamada. Yo digo *sí*, Jesús. Yo digo *sí*."**

Personas que ya comenzaron con esos cinco minutos de alabanza atestiguan la grande mudanza que se ha hecho sentir en la vida de ellas y en la vida de cada miembro de su familia.

¡Alaba! ¡Alaba! ¡Alaba!

¡MUDA TÚ Y MUDA A TU FAMILIA, POR EL PODER DE LA ALABANZA!

Haz la experiencia de alabar, ¡principalmente en familia!

En la tristeza... ¡prueba alabar!

En el sofrimiento... ¡prueba alabar!

En la soledad... ¡prueba alabar!

En los problemas matrimoniales... ¡prueba alabar!

En los problemas con los hijos... ¡prueba alabar!

En los problemas profesionales... ¡prueba alabar!

En las dificultades financieras... ¡prueba alabar!

Cuando haya odio, dolor, resentimiento en tu corazón... ¡prueba alabar!

44

En la alegría... ¡prueba alabar!

En la enfermedad... ¡prueba alabar!

En la salud... ¡prueba alabar!

En la paz... ¡prueba alabar!

En la depresión... ¡prueba alabar!

En el dolor... ¡prueba alabar!

En las dificultades familiares... ¡prueba alabar!

Cuando todo esté bien... ¡prueba alabar!

Cuando todo esté mal... ¡prueba alabar!

Al despertar, levántate sonriendo y... ¡prueba alabar!

Cuando tengas miedo en el corazón... ¡prueba alabar!

Cuando un pensamiento no sea del Señor... ¡prueba alabar!

Cuando el enemigo te tiente... ¡prueba alabar!

Cuando seas tentado a pecar... ¡prueba alabar!

Cuando, en la debilidad, piensas que eres fuerte... ¡prueba alabar!

¡Haz la experiencia de alabar!

Sí, prueba alabar y depués escríbenos contando lo que sucedió.

Alabado y bendito sea el nombre de Jesucristo Nuestro Señor.

Amén.

Nosotros Te glorificamos porque Te dijimos sí a Ti, Jesús.

¡Aleluya!

Haz de la alabanza del profeta Daniel (capítulo 3) tu alabanza:

"Obras todas del Señor, bendecid al Señor,
alabadle, exaltadle eternamente" (v. 57).
"Sol y luna, bendecid al Señor,
alabadle, exaltadle eternamente" (v. 62).
"Astros del cielo, bendecid al Señor,
alabadle, exaltadle eternamente" (v. 63).
"Lluvia toda y rocío, bendecid al Señor,
alabadle, exaltadle eternamente" (v. 64).
"Pájaros todos del cielo, bendecid al Señor,
alabadle, exaltadle eternamente" (v. 80).
"Todos los que veneran al Señor, bendecid al Dios de los dioses,
alabadle, confesadle, porque es eterna su misericordia" (v. 90).

Las aves del cielo cantan para Ti, y nosotros, unidos a ellas, vamos a alabar al Señor Jesús para siempre. ¡Amén! ¡Aleluya!

"A Yahvéh, mientras viva, he de alabar, mientras exista salmodiaré para mi Dios" (Sal 146[145],2).

Y la Palabra de Dios continúa confirmándonos:

"Dichoso el pueblo [la familia] que la aclamación conoce"
(Sal 89[88],16a).

Si tu familia hoy no es feliz, tengo la seguridad de que lo será cuando comiences a alabar al Señor Jesús. Y eso depende de ti.

Sí, de ti, no sólo haciendo parte de este ejército de alabanza, sino llevando también a otras personas a formar parte del pueblo, de la familia de la alabanza.

46

"Bendice a Yahvéh, alma mía, del fondo de mi ser, su santo nombre" (Sal 103[102],1).

"¡Dad gracias a Yahvéh, porque es bueno!"
(Sal 136[135],1a).

"¡Desde que sale el sol hasta su ocaso, sea loado el nombre de Yahvéh!" (Sal 113[112],3).

¡MUDA TÚ Y MUDA A TU FAMILIA, POR EL PODER DE LA ALABANZA!

Di *sí* a Jesús, así como María se lo dijo a Dios y desea que todos hagamos lo que su Hijo nos pide. Entonces, dilo ahora:

– ¡Sí!

Repite:

– ¡Sí, Jesús!

Con Jesús es con quien hacemos el compromiso de integrar la familia de la alabanza. El poder de la alabanza cambiará tu corazón, a tu familia, tu ciudad y a todo el mundo.

¡MUDA TÚ Y MUDA A TU FAMILIA, POR EL PODER DE LA ALABANZA!

Finalmente, el Señor nos confirma aún por medio del Salmo 138[137]:

"Te darán gracias, Yahvéh, todos los reyes [todas las familias] de la tierra" (v. 4a).

Depende de ti, hermano mío. Depende de ti, hermana mía. Depende de cada uno de nosotros.

Te han de alabar, Señor Jesús, todos los reyes y todas las familias de la tierra, porque ante tu nombre, Jesús, toda rodilla se dobla en el cielo, en la tierra y en los infiernos (ver Flp 2,10). **Y entregamos en tus manos esa grande obra de alabanza que el Señor nos ha pedido. Pedimos que tu Sangre redentora purifique nuestro corazón para que podamos recibir todavía más el don de alabarte.**

Oramos a Dios Padre para que Él envíe el poder, la fuerza y los dones de su Espíritu Santo, para que no sólo podamos decir *sí*, sino para que podamos también llevar a los miembros de nuestra familia y a otras personas a que digan *sí* y a comprometerse a alabar por cinco minutos, todos los días de su vida; a alabar a Jesús, a alabar por todas las cosas, por su familia, por su ciudad y por el mundo.

¡MUDA TÚ Y MUDA A TU FAMILIA, POR EL PODER DE LA ALABANZA!

¡Ven, Señor! Ven con tu Espíritu Santo y con tu poder. Inunda nuestro corazón con tu presencia y libera en nosotros, hoy, el don de la alabanza, el don de la adoración y el don de la acción de gracias.

Hermano mío, éste es un momento de mucha gracia para todos nosotros y, por eso, te exhorto a que te unas a nosotros con el corazón bien abierto. Colócate en la presencia de Jesús y vamos, juntos con Él, a alabar, adorar y glorificar a nuestro Dios que es Padre, Hijo y Espíritu Santo.

Oh Señor, Dios altísimo, en este momento queremos unirnos a la Virgen María, Madre de Dios, para

que podamos alabarte y adorarte. Queremos unirnos a la alabanza y a la adoración de los ángeles, de los santos y de toda la milicia celestial, para que juntos, podamos alabarte y adorarte. Queremos unirnos a toda la Iglesia de Jesucristo en el haz de la tierra, para que, unidos en un solo corazón, podamos adorar a nuestro Dios. En este momento, oh Padre, abrimos el corazón e invocamos la fuerza y el poder de tu Espíritu Santo, para que sea Él, quien dentro de nosotros, alabe y adore a Dios altísimo.

Nosotros nos entregamos a Ti, Santo Espíritu. Ven, en nombre de Jesús. Ven, Señor, y ¡suscita la alabanza en lo más profundo de nuestro ser!

Oh Padre eterno, Tú eres nuestro Creador, Tú eres nuestro Padre de amor. Te amamos y Te rendimos toda alabanza de nuestro corazón. Queremos alabarte por toda nuestra vida. Queremos hacer tu voluntad. Queremos celebrar tu gloria, porque Tú eres bueno, Tú eres santo, Tú eres el único digno de recibir toda honra, alabanza, gloria y majestad.

Señor Jesús, nosotros Te adoramos. Tú eres el Altísimo y nuestro Salvador, Dios con el Padre y con el Espíritu Santo. Nosotros nos entregamos a Ti incondicionalmente, porque pagaste el precio de nuestra salvación y porque Te pertenecemos. Somos Tuyos. Pueblo tuyo. Hoy, Jesús, conságranos en tu Espíritu como un pueblo, una familia de alabanza y adoración. Que en todas las circunstancias de nuestra vida surja la alabanza de nuestro corazón y de nuestros labios y suba a los cielos en tu nombre, Señor.

Oh Espíritu de Dios, Tú que habitas dentro de nosotros, Tú que eres el Consolador, el Dios de amor, de sabiduría infinita, nosotros Te amamos, adoramos, bendecimos, glorificamos y nos rendimos a tu presencia. Ven, Santo Espíritu, ven y conduce nuestra vida, ungiéndonos con tu poder y concediéndole a nuestro corazón y a toda nuestra familia el don de la alabanza. Infúndenos hoy, Santo Espíritu, ese don y haz que corran, en nuestro interior, ríos de agua viva y de alabanza, para que nuestro Dios que es Padre, Hijo y Espíritu Santo, sea adorado, honrado, glorificado y bendecido en todas las circunstancias de nuestra vida y de nuestro ambiente familiar. Que nuestro corazón esté unido en la alabanza y en la adoración. Que nuestra vida familiar sea un himno de alabanza a tu gloria.

Bendito seas, Señor, porque los ángeles y los santos Te alaban sin cesar.

Bendito seas, Señor, porque la Virgen María, Madre de Dios, Te alaba sin cesar.

Bendito seas, Señor, porque tu Iglesia aquí en la tierra Te alaba sin cesar.

Bendito seas, Señor, porque hoy nos convocas a formar tu pueblo, tu familia de alabanza y de adoración.

Nosotros decimos *sí* y contamos con tu gracia para que seamos fieles y para que la alabanza crezca dentro de nosotros no apenas cinco minutos por día, Señor, sino el día entero, a cada momento, a cada instante. Que incluso durmiendo, nuestro corazón esté velando en la alabanza y en la adoración, porque fuimos criados para la celebración de tu gloria.

Bendito seas para siempre.

Bendito sea tu poder que nos trasforma.

Benditos sean tu poder y el poder de tu Espíritu Santo de alabanza dentro de cada uno de nosotros.

¡Bendito seas, Señor, porque Tú eres digno, Tú eres nuestro Dios y sólo a Ti prestamos nuestro culto, nuestra alabanza, nuestra adoración!

Y ahora, Señor, nos unimos en adoración, alabanza y acción de gracias a todo tu pueblo en el haz de la tierra, a toda tu Iglesia, a toda familia, a todos los siervos de ministerios, y Te bendecimos, adoramos y entregamos nuestra vida, nuestros sufrimientos y dolores, para que también, en medio de todo eso, Tú seas alabado, adorado y glorificado.

Oh Jesús, hoy recurrimos a Ti por la intercesión de María santísima, y Te pedimos, por el Corazón Inmaculado de tu Madre, que extiendas tus manos llagadas sobre tu pueblo sufrido y sobre las familias que sufren. Señor, nosotros Te entregamos nuestro país, la crisis económica que vivimos. Nosotros Te entregamos toda la angustia del pueblo y de la familia. Te entregamos a tu Iglesia, al Santo Padre, el Papa Juan Pablo II, a tus sacerdotes, tus ministros, tus pastores, nuestros bispos, todos los vocacionados, todos los religiosos, todos los laicos consagrados a Ti y al ministerio de tu Palabra, a todos los que Te adoran. Y nosotros ¡nos entregamos a Ti!

Te alabamos y pedimos, Jesús: Libera la cura divina sobre nosotros; libera tu poder sobre nosotros, oh Señor, especialmente sobre los miembros de nuestra familia y sobre los hermanos enfermos que rezan con nosotros y son tan sufridos. Que por el poder de la alabanza sean liberados ahora de toda angustia y tristeza, melancolía y desesperación, de la añoranza de los seres queridos que ya murieron, de todo desequilibrio emocional, de la falta de ánimo para vivir y de la depresión.

Entregamos todos estos dolores y sufrimientos a Ti, con grande alabanza y adoración, esperando con toda confianza que de ti nos vengan la cura y la liberación.

En nombre de Jesús.

Amén y amén.

4 ¡El nombre de Jesús tiene poder para salvarte a ti y a tu familia!

"Pedro le dijo: 'No tengo plata ni oro; pero lo que tengo, te doy: en nombre de Jesucristo Nazareno, ponte a andar'"
(Hch 3,6).

¡EL NOMBRE DE JESÚS TIENE PODER PARA SALVARTE A TI Y A TU FAMILIA!

Quiero dar un testimonio personal de ese trecho de la Palabra de Dios. Hace algunos días, debido a un problema muy serio, estaba yo abatido, desanimado y orando con la cabeza baja en mi cuarto. Pero la Palabra de Dios, que es viva y eficaz, tocó mi corazón con este texto: *"¡En nombre de Jesucristo, ponte a andar!"*

Comencé a repetir varias veces: *"¡En nombre de Jesucristo, ponte a andar! ¡En nombre de Jesucristo, ponte a andar!"* Sentí que Jesús me hablaba a través de San Pedro y de su Palabra: *"¡En nombre de Jesucristo, ponte a andar! ¡En nombre de Jesucristo, ponte a andar!"* Y mi cabeza comenzó a levantarse, y aquel problema que yo vivía fue haciéndose menor, menor... delante de la grandeza de Dios, de Jesús vivo y resucitado y del poder de su nombre. Y, lentamente, el problema se fue apartando de mí, mi cabeza se fue levantando, levantando... la alegría y la paz fueron dominando mi corazón, y yo probé el poder del nombre de Jesucristo Nuestro Señor.

"¡En nombre de Jesucristo, ponte a andar!"

¡EL NOMBRE DE JESÚS TIENE PODER PARA SALVARTE A TI Y A TU FAMILIA!

Invocar el nombre de Jesucristo a través de la Palabra de Dios significa tener a Jesucristo vivo con nosotros, presente en la oración, en la vida, en la familia, en el trabajo y en el ambiente social.

Vamos a leer nuevamente el trecho de Hechos de los Apóstoles:

"Pedro le dijo: 'No tengo plata ni oro; pero lo que tengo, te doy: en nombre de Jesucristo Nazareno, ponte a andar'"

(Hch 3,6).

Ahora te toca a ti. Sí, a ti que estás deprimido. En nombre de Jesucristo y por el poder de su Sangre, levanta la cabeza y mira con confianza adelante, pues:

¡EL NOMBRE DE JESÚS TIENE PODER PARA SALVARTE A TI Y A TU FAMILIA!

El nombre de Jesús tiene poder para acabar con tu depresión y con tu corazón herido.

"Él sana a los de roto corazón" (Sal 147[146],3a).

Y tú, que estás tan triste, abatido y sin esperanza, pasando por algún problema familiar muy serio: ¡En nombre de Jesucristo Nazareno, ponte a andar! Deja la tristeza, ahora. ¡Deja que la tristeza sea lavada por el poder de la Sangre de Jesús!

Ahora te toca a ti, que das acogida a la rabia, al rencor, al odio y al resentimiento, principalmente con relación a un miembro de tu familia: En nombre de Jesucristo ¡Perdona!

¡Perdona! ¡Perdona! ¡Perdona en nombre de Jesús! Coloca el poder de la Sangre de Jesús entre la persona o miembro de tu familia del que tienes rabia, resentimiento o pesar, y tú.

Ha llegado tu ocasión. ¡Tú vez, sí! Tú, que estás enfermo, con dolor de cabeza, o de riñones, o de estómago; o tal vez tú que estás en la cama, abatido: ¡En nombre de Jesucristo, ponte a andar!

Sí, hermano mío. Siéntate en esa cama, en nombre de Jesús. Creo que Jesús está oyendo nuestra oración. Creo en el poder de la Palabra de Dios, porque Jesús está levantando nuestra cabeza y quiere que tú te sientes ahora en tu cama.

Extendemos las manos, como Pedro hizo con aquel cojo de nacimiento, y, con fe, ordenamos que tú ahora, **en nombre de Jesús, te levantes de tu lecho. ¡Aleluya! ¡Alabado y bendito sea el nombre de Jesús!**

¡El nombre de Jesús tiene poder para salvarte a ti y a tu familia!

Tú, que estás preocupado con los bienes materiales (cuántas personas nos telefonean con problemas de orden material...), de empleo, de falta de dinero, del costo de la vida, de la inflación, del dinero que no alcanza a fin de mes, levanta los ojos a Jesús. ¡Jesús es vida! Jesús nunca dejó faltar nada en tu casa. Lo que queremos, muchas veces, es lo superfluo, porque la necesidad primera para nosotros y nuestros hijos, Jesús la ha suplido ¿no es verdad? En nombre de Jesús, ¡deja las preocupaciones de lado! ¡Jesús quiere alegría, paz y vida en tu corazón!

Mis hermanas queridas, que nos llaman, o nos escriben, o nos buscan personalmente en los grupos de oración, preocupadas con el matrimonio, con el marido que sale y no vuelve... Y tú, hombre, también preocupado con tu mujer que se está volviendo fútil, sólo lee revistas, sólo ve telenovelas, no asume el hogar, tenemos un mensaje para todos ustedes: ¡En nombre de Jesucristo, pónganse a andar!

Madres y padres preocupados con la educación de sus hijos y con los lugares que sus hijos frecuentan, Jesús quiere que tengan confianza en Él, en el poder de su resurrección. ¡Jesús es vida! ¡Jesús es victoria! Clamen el poder de la Sangre de Jesús sobre sus hijos y sobre sus salidas y amistades. Clamen el poder de la protección de los ángeles del Señor. Oren para que el Señor mande a sus ángeles para que protejan la vida y familia de cada uno de nosotros. ¡En nombre de Jesucristo, ¡pónganse a andar!

Y ahora, orando con autoridad, así como lo hizo San Pedro al mirar al cojo, te hablamos con fe directamente a ti que tienes problemas familiares. ¡En nombre de Jesucristo, ponte a andar!

Extiende siempre las manos a Jesús para recibir de Él, a través de su Palabra, la sabiduría, el poder y el discernimiento para conocer y vivir la voluntad de Dios, para educar a tus hijos y para salvar tu matrimonio, en nombre de Jesucristo.

"Pedro le dijo: 'No tengo plata ni oro; pero lo que tengo, te doy: en nombre de Jesucristo Nazareno, ponte a andar'" (Hch 3,6).

Ahora quiero convidarte a cantar. Sí, cantar esta canción que todos conocen:

"Oro y plata no tengo,
pero lo que tengo te lo doy:
¡En nombre de Jesucristo, ponte a andar!
Fue andando y saltando
y alabando a Dios. } (bis)
¡En nombre de Jesucristo,
ponte a andar!"

Nuestro corazón ya está poniéndose alegre, ¿no es verdad?

Lo que apasiona en la Palabra de Dios es que es viva y eficaz. Ella produce fruto en el mismo instante en que la leemos, meditamos y nos apoderamos de ella. El Señor nos libera instantáneamente, como lo hizo a través de San Pedro que, extendiendo las manos al cojo le dijo: *"En nombre de Jesucristo Nazareno, ponte a andar."* Y el cojo anduvo.

¡EL NOMBRE DE JESÚS TIENE PODER PARA SALVARTE A TI Y A TU FAMILIA!

¡Alabado sea Dios! El Señor, una vez más, a través de su Palabra, nos ha extendido las manos a nosotros y nos ha dado esperanza, alegría, paz y vida. ¡Vida! Vida que no probábamos antes de conocer a Jesús y que ahora tenemos en abundancia en el corazón.

Por la fe que la Palabra de Dios suscita en nuestro corazón, Jesús realiza, cada día, a cada momento, prodigios y milagros en nosotros.

¡Jesús está vivo! ¡Jesús te ama! ¡Jesús nos ama! ¡Aleluya!

¡EL NOMBRE DE JESÚS TIENE PODER PARA SALVARTE A TI Y A TU FAMILIA!

Y Jesús quiere que usemos el poder de su nombre y el poder de su Sangre redentora.

¡EL NOMBRE DE JESÚS TIENE PODER PARA SALVARTE A TI Y A TU FAMILIA!

Jesús murió para salvarnos y quiere que tú uses cada vez más el poder de su nombre. Él lo dijo en su Palabra:

"En mi nombre expulsarán demonios" (Mc 16,17b).

Él delegó ese poder a todos los que creen en su nombre. Invocar el nombre de Jesús significa invocar a la persona de Jesús para que esté presente en aquel momento y en aquella situación. Y la expresión "en nombre de Jesús" significa permitir que Jesús actúe en nosotros y en las circunstancias a través del poder de su nombre.

Usa, hermana mía, usa, hermano mío, para ti y tu familia, cada vez más, el poder de ese nombre que salva, cura y libera; de ese nombre que es la alegría de los hombres, que es la vida en plenitud; de ese nombre que es Jesucristo Nuestro Señor. ¡Amén! ¡Aleluya!

Con fe renovada y en nombre de Jesús, vamos a orar por nosotros y toda nuestra familia, con poder, naturalidad y confianza. Mira hacia Jesús ahora; extiende la mano derecha a los cielos; agarra con fuerza la mano de Dios y repite conmigo:

¡Cúrame y cura a mi familia, Señor Jesús! ¡Cúranos!

¡Libérame y libera a mi familia, Señor Jesús! ¡Libéranos!

¡Sálvame y salva a mi familia, Señor Jesús! ¡Sálvanos!

¡Danos la alegría que no tenemos, Señor!

¡Danos la paz en tu nombre, Jesús!

¡Danos el amor, Jesús!

¡Danos el perdón, Jesús!

¡Danos el amor y el perdón en nuestro ambiente familiar, Jesús!

¡Danos el don de buscarte más en un grupo de oración!

¡Danos el don de frecuentar la santa misa y la Eucaristía!

¡Danos el don de rezar la tercera parte del rosario todos los días!

¡Danos el don de meditar la Palabra de Dios!

¡Danos el don de la fe y de la perseverancia!

¡Llénanos de tu Espíritu Santo, Jesús!

¡Aleluya! ¡Gloria a Dios!

¡Qué alegría hay en nuestro corazón!

¡Nosotros fuimos salvados!

¡Nosotros fuimos amados!

¡Nosotros fuimos liberados y curados, en nombre de Jesús!

¡Gracias, Señor! ¡Nuestro corazón parece que va a estallar de tanta alegría! ¡Alabado y bendito sea tu nombre, Jesús! ¡Que este nombre –JESÚS– sea exaltado y glorificado en nuestra vida!

"Venid a mí todos los que estáis fatigados y agobiados, y yo os aliviaré" (Mt 11,28).

¡Jesús te ama y quiere amarte todavía más!

Quiero repetir e insistir contigo, que crees en Jesús, para que lo mires y le digas de nuevo: **"¡Jesús, ten piedad de mí y de mi familia!"**

Coloca la mano en el corazón, siente el amor de Jesús por ti y repite con el corazón bien abierto. Sí, tú y tu familia aún necesitan tanto amor, redención, misericordia, alegría, paz, vida... Repite y recibe todo esto de que tú y tu familia tanto necesitan: **"¡Jesús, ten piedad de mí y de mi familia! ¡Jesús, ten misericordia de mí y de mi familia!"**

Repite una vez más, en voz alta: **"¡Jesús, ten piedad de mí y de mi familia!"**

Jesús quiere derramar su piedad y su misericordia sobre ti y tu familia. ¡Él murió para eso! Pero, al mismo tiempo, respeta nuestra voluntad. Te exhorto una vez más a ti que estás indeciso: Mira a Jesús y aprovecha este momento de la gracia de Dios. Ahora, con el corazón abierto y voz fuerte, di: **"¡Jesús, ten piedad de mí y de mi familia! ¡Jesús, ten piedad de mí y de mi familia! ¡Jesús, ten misericordia de mí y de mi familia! ¡Gracias, Jesús, por tanto amor!"**

"A vosotros gracia y paz abundantes" (I P 1,2c).

Ven, Señor Jesús, ven, Señor, y continúa con nosotros en este momento. ¡Queremos adorarte, glorificarte y exaltarte!

Hermano mío, grande es el amor de Dios por ti y por todos los miembros de tu familia. Y repito: éste es el momento de la gracia. El Señor está tan presente y tan próximo de nosotros... Cierra los ojos y entrégate totalmente a Jesús, sin resistencia, sin miedo, con el corazón bien abierto, porque Él está vivo y te ama.

Cree, hermano mío, nuestro Dios es Dios de amor y de perdón, y para que la gracia divina sea abundante en tu corazón y en tu familia, en este momento reconoce que eres pecador. Vamos juntos a pedir perdón por todos nuestros pecados, para que, purificados en la Sangre de Jesús, tengamos el corazón bien abierto a la alabanza y a la adoración.

ORACIÓN

¡Ven, Santo Espíritu! ¡Ven, Señor! En nombre de Jesús, inunda nuestro corazón con tu fuerza, con tu presencia y con tu amor. Úngenos en este momento para que esta oración sea agradable al Padre.

Padre Santo, Padre de Nuestro Señor Jesucristo, nosotros Te amamos mucho, oh Padre, y Te alabamos porque eres nuestro Dios, el Señor poderoso del universo, el Creador de todas las cosas visibles e invisibles, nuestro Padre de amor que cuida de nosotros porque somos tus hijos en Jesucristo Nuestro Señor. Queremos agradecerte, Padre, por tu Espíritu que, derramado en nuestro corazón, suscita la fe en nuestra vida.

Nosotros Te adoramos, Padre, Te agradecemos y también Te pedimos perdón, porque muchos de nosotros nos olvidamos de que somos tus hijos y de que podemos recorrer a tu amor y poder a todo instante, a cada momento, a cada minuto de nuestra vida por causa de Jesús, porque la Sangre de tu Hijo unigénito nos abrió un camino nuevo hacia Ti.

Y, Padre santo, en este momento, queremos cubrirnos con esta Sangre preciosa, derramada por nosotros en la cruz. En este momento de oración y de fe, queremos renovar las promesas de nuestro bautismo y, en tu presencia, Padre, y en la unidad con todos los hermanos que están orando ahora, queremos renunciar a satanás.

En nombre de Jesús, nosotros renunciamos a satanás, a sus obras y a todas sus seducciones. Con el poder y la autoridad de Jesucristo, renunciamos a todo pacto y alianza que nosotros y miembros de nuestra familia podamos haber hecho con el mal y con las obras a él ligadas. Nosotros renunciamos a todo lo que es pecado y tiniebla en nuestra vida, en nombre de Jesús.

Padre, reconocemos que somos tus hijos, proclamamos a Jesucristo como al único Señor de nuestra vida.

Creemos que Él murió por nosotros para pagar el precio de nuestro pecado, que resucitó de entre los muertos y que está vivo, sentado a tu derecha en poder y gloria, para nunca más morir. Y queremos vivir para amarlo y servirlo todos los días de nuestra vida.

Nosotros Te alabamos y Te bendecimos, Padre, por el poder que concediste al nombre de Jesús y doblamos nuestras rodillas y también nuestro corazón ante ese nombre, porque sabemos que a los hombres no les fue dado otro nombre por el cual puedan salvarse (ver Hch 4,12). Hoy, invocamos el nombre santo de Jesucristo sobre nosotros, sobre nuestra vida, sobre nuestro hogar y familia y sobre todo lo que nos concierne.

¡Señor, Jesús, ten piedad de nosotros y de nuestra familia! ¡Ten compasión de nosotros y de nuestra familia! Clamamos el poder del nombre de Jesús sobre toda la opresión que satanás ha hecho sobre nuestra vida y, con el poder y la autoridad de Jesucristo Nuestro Señor, reprendemos y expulsamos de entre nosotros, de nuestro hogar, de nuestra casa, de nuestra familia, de nuestros hijos, de nuestro cónyuge, de nuestros padres, todo mal, toda tiniebla y toda obra demoníaca. Y el maligno tiene que retirarse, porque ante el nombre de Jesús se doblan todas las rodillas en el cielo, en la tierra y en los infiernos (ver Flp 2,10). Está escrito y así lo es.

Padre eterno, en el poder del nombre de Jesús, nosotros Te pedimos la cura de las familias, la cura de los hogares, la cura del relacionamiento conyugal, del relacionamiento entre padres e hijos y entre hermanos. Pedimos también la cura interior de los corazones, donde se aloja tanto odio, rencor, celos y envidia. **Tú tienes el poder de hacer nuevas todas las cosas en Jesucristo, tu amado Hijo. Renueva entonces, Señor, el amor en el corazón de los matrimonios, coloca tu paz en las familias, suscita la fe en los corazones más endurecidos, para que se abran y acojan la salvación en Jesucristo.**

Tu poder es infinito, Padre Santo, y por todo este poder que actúa en nosotros ahora, unidos a Jesús, a María santísima, a tu Iglesia, a los ángeles y a los santos del cielo, queremos alabarte, adorarte, bendecirte y agradecerte.

¡Glorificado seas por siempre! En nombre de Jesús.

¡Amén y amén!

5 La cura, a través del perdón, para ti y para tu familia

"Que si vosotros perdonáis a los hombres sus ofensas, os perdonará también a vosotros vuestro Padre celestial; pero si no perdonáis a los hombres, tampoco vuestro Padre perdonará vuestras ofensas" (Mt 6,14-15).

Quien acaba de hablar es Jesús. Su Palabra es verdadera y siempre se cumple. A través de ese pasaje de la Biblia, percibimos que es el propio amor de Dios el que se expresa, a pesar de las palabras profundamente duras. Ese pasaje es claro. Cualquier niño, por menor que sea, puede comprenderlo. Es como las matemáticas: claras, como 2 y 2 son 4. Si perdonamos a los hombres, seremos perdonados. Si no los perdonamos, principalmente a nuestros familiares, no seremos perdonados. Pero la sabiduría y el poder de Dios son infinitamente mayores que la sabiduría humana.

Hace un tiempo, hablando con una psicóloga conocida, le pregunté:

— Imagine un paciente que a los seis años de edad sufrió un trauma muy serio con relación al padre y se quedó con el corazón rencoroso y amargado. Usted, como profesional, usando el conocimiento científico y queriendo resolver el problema de esa persona, llega a la conclusión de que ése es el gran problema emocional de su paciente. ¿Qué hace con esta persona?

Y ella respondió:

– Una vez conocido el problema y revelado al paciente, yo le digo: Ahora le voy a enseñar a convivir con esta situación y a minimizarla.

Entonces, te pregunto: Si una persona va a un médico que constata que ella tiene un tumor perjudicando su salud ¿crees tú que el médico le dirá que tiene un grave tumor maligno y que debe aprender a convivir con él y a relativizarlo?

Ciertamente no sería así que el médico actuaría. Él extirparía el tumor maligno inmediatamente, ¿no es verdad? Pero de acuerdo con la sabiduría humana, se acredita que la persona, teniendo conciencia de su mal y aprendiendo a convivir con él, se curará. No obstante, yo afirmo: **¡No lo será!**

PIENSA EN ESTO:

El grande problema de muchos de nosotros es que tenemos un "cáncer psicológico" engendrado por penas, rencores y odio de miembros de nuestra familia o de otras personas. Tales sentimientos quedan guardados en el corazón como tinieblas, durante muchos años y, quién sabe, desde la infancia.

Dios, por amor a nosotros, nos revela, muchas veces, cómo está nuestro corazón. Y Jesús nos enseña lo que debemos hacer no solamente en esta situación de pecado (odio, rencor y resentimiento) sino también lo que debemos hacer en otras situaciones de ofensa al plan del amor de Dios. Él desea que cada uno de nosotros se arrepienta de haber vivido tanto tiempo con rencor y deseo de venganza, principalmente de los miembros de la familia; que cada uno de nosotros se arrepienta de la maledicencia, del odio, en fin, de todos los pecados, y, enseguida, clame por la Sangre de Jesús, diciendo: **"¡Jesús, ten piedad! ¡Señor, ten misericordia de mí! ¡Quiero que las tinieblas de mi corazón sean lavadas en tu Sangre!"**

Cuando estés arrepentido, confiesa tus pecados y clama la misericordia de Dios para que tú seas inmediatamente lavado en la Sangre de Jesús, como dice la Palabra de Dios en el Apocalipsis: *"Esos son los que vienen de la gran tribulación; han lavado sus vestiduras y las han blanqueado con la sangre del Cordero"* (Ap 7,14b).

La Sangre de Jesús, al lavar el odio, el rencor, o cualquier otro pecado, lo eliminará definitivamente, como un tumor maligno al ser extirpado por el médico.

Jesucristo delegó a su Iglesia el poder de perdonar los pecados (ver Jn 20,22-23). Por eso, en caso de pecado grave, busca a un sacerdote que te administrará el Sacramento de la Reconciliación.

Esto es lo que debes hacer: arrepentirte de todo odio que habita en tu corazón y en tu mente, llevándote a pensar y a hablar mal del prójimo (familiares o no), impidiéndote de alabar, bendecir y glorificar al Señor.

Aún puedes estar preguntando: "Si quisiera, ¿tengo aún la opción de continuar con este pecado, con este resentimiento y rencor en mi corazón?"

Sí, tienes esa opción. Pero mira bien lo que le pasará a tu vida si tú no perdonas a tu hermano: ella estará constituida de angustia, depresión, tristeza y sufrimiento, y cargarás un fardo pesado y desnecesario.

Percibe, hermano mío, a partir de estos textos de la Biblia, cómo Dios te perdona (y es así también como Él te quiere: perdonando a tus familiares y a las otras personas):

"Y de sus pecados e iniquidades no me acordaré ya"
(Hb 10,17).

"Así fueren vuestros pecados como la grana, cual la nieve blanquearán. Y así fueren rojos como el carmesí, cual la lana quedarán" (Is 1,18).

Perdonar significa olvidar, no acordarse más. Significa clamar el poder del Espíritu Santo para que, no con la fuerza o sabiduría humana, sino por el poder de su nombre y de la Sangre de Jesús y agarrándonos a su mano se pueda decir al hermano con el corazón y con los labios: "Yo te perdono, de todo corazón, la pena y el sufrimiento que trajiste a mi vida y a mi familia."

Por otro lado, piensa en todos los sufrimientos y resentimientos que tú ya has causado a los miembros de tu familia y a otras personas también. Es necesario caminar en dirección a ellas y decirles: "En nombre de Jesús, perdóname todo el resentimiento y sufrimiento que te he causado."

TESTIMONIO:

Voy a contarte una historia que trajo consigo una polémica muy grande en uno de los últimos grupos de oración de que participé. Leí, en la reunión, una carta que recibí, narrando tal vez uno de los más lindos actos de amor de que yo haya tenido conocimiento.

Una señora de Brasilia descubrió que su marido estaba cometiendo adulterio y ella sufría mucho con aquella situación. Ese sufrimiento la aproximó más de Dios, llevándola a orar y clamar por su misericordia constantemente. Después de haber sufrido y orado mucho, creyó que Jesús había puesto en su corazón que también ella era culpada por la actitud equivocada del marido, pues ella se había convertido en una persona un tanto negligente, dejando que su matrimonio entrase en la rutina, sin aportar nada más al crecimiento conyugal y familiar. Ella, entonces, se aproximó del marido y le dijo: "Te pido perdón porque también me he equivocado y soy responsable, de alguna manera, por esa actitud tuya."

Las mujeres en esa situación ¿pensarán que la totalidad de la culpa le corresponde sólo al marido? Puede que él sea el mayor responsable, pero la esposa también tiene una parcela de culpa, por menor que sea, en esta situación.

La actitud de esta señora coincide con el texto de la Biblia que leemos. Fue un acto de amor y perdón, y su marido, como ella escribió, se quedó profundamente impresionado y acabó regresando al hogar.

Te digo, con sinceridad, que ese fue un poderoso e impresionante acto de amor. Es un ejemplo maravilloso de reconciliación y de lucha para ¡la salvación de la familia y del matrimonio!

> *"No juzguéis, para que no seáis juzgados. Porque con el juicio con que juzguéis seréis juzgados, y con la medida con que midáis se os medirá a vosotros. ¿Cómo es que miras la brizna que hay en el ojo de tu hermano, y no reparas en la viga que hay en tu ojo? ¿O cómo vas a decir a tu hermano: 'Deja que te saque esa brizna del ojo', teniendo la viga en el tuyo? Hipócrita, saca primero la viga de tu ojo, y entonces podrás ver para sacar la brizna del ojo de tu hermano"* (Mt 7,1-5).

De ahora en adelante, deja de preocuparte tanto con los defectos de tu marido (o esposa), hijos, padres, amigos, compañeros de trabajo, y estate más atento a tus propias fallas. Para de acusar, criticar y condenar a tu hermano, cuando, muchas veces, tus debilidades y errores son mayores. Ve bien lo que la Palabra de Dios dice: *"Hipócrita, saca primero la viga de tu ojo, y entonces podrás ver para sacar la brizna del ojo de tu hermano"* (Mt 7,5). Sigue el ejemplo de esa señora de Brasilia, que procuró retirar la viga de su ojo en primer lugar.

En cualquier situación, el cristiano es aquél que perdona, que da el primer paso y se aproxima, a pesar de toda la dificultad de relacionarse con el hermano. El cristiano puede tener problemas de convivencia, pero es él quien va adelante y está siempre dispuesto a reconciliarse.

Dios no pregunta si tienes tú razón o no. Él manda perdonar siempre. **Tener la razón no salva a nadie.** Tener razón no salva el matrimonio de nadie. Tener razón no salva a la familia de nadie. Lo que salva al ser humano y a la familia es el arrepentimiento del pecado; es ver la viga en el propio ojo y clamar: **"Jesús, ten piedad de mí y lléname de tu Santo Espíritu para que yo pueda perdonar y reconciliarme con mi hermano, por el poder de tu nombre. ¡Amén, Aleluya!"**

El amor de Dios se manifiesta a través de su Palabra porque, cuando se vive la Palabra de Dios en la fuerza y en el poder de su Santo Espíritu, tumores mucho más fuertes y poderosos que un tumor maligno serán extirpados de la mente, alma y espíritu por la poderosa Sangre de Jesús. ¡Aleluya!

Recapacita para ver si tienes rencor, odio o resentimiento en el corazón, principalmente con relación a tus familiares. (Todos tenemos algún resentimiento. No importa el tamaño: resentimiento grande o pequeño se escribe exactamente igual: R-E-S-E-N-T-I-M-I-E-N-T-O.) Haz hoy una revisión de tu vida.

"No juzguéis, para que no seáis juzgados" (Mt 7,1).

Pido que hoy la Palabra de Dios, que es la revelación de su amor, nos dé, por el Espíritu Santo, el poder de la reconciliación.

Vamos ahora a mirar a Jesús en la cruz y, en su nombre, recemos:

Señor Jesús, pedimos que, en el poder de tu Espíritu Santo, Tú nos reveles, a cada uno de nosotros, las penas y resentimientos que aún habitan en nuestro corazón. Y ahora, Señor Jesús, agarrando tus manos, nos aproximamos de todas las personas que nos ofendieron (no nos olvidemos de incluir a los familiares) y perdonamos, en tu nombre, cualesquiera que hayan sido las faltas que cometieron contra nosotros.

Ya di testimonio de la grande gracia que recibí de Dios cuando perdoné al conductor del camión que, chocándose con nuestro automóvil, nos hizo perder un hijo de un año y medio. Ya le perdoné de corazón. ¿Y tú? ¿Ya has perdonado de hecho y de corazón a todas las personas?

Ahora, Señor, en tu nombre, pedimos que tu Sangre nos lave de todo el odio y rencor que todavía habitan en nosotros.

Y una vez más, aproximándonos mentalmente de todas las personas que nos han entristecido oremos diciendo el nombre de cada una de ellas: **"Yo te perdono, ...(nombre), te pido perdón y te bendigo en nombre del Padre, del Hijo y del Espíritu Santo."**

Te voy a pedir que repitas conmigo, para que no se quede nadie olvidado (incluso tu marido o esposa, tus hijos, tus padres, tus amigos, etc.) y para que quedes definitivamente salvado, liberado y sanado: **"En nombre de Jesús y en el poder de su Sangre, yo te pido perdón, ...(nombre). Y** en nombre de Jesús y en el poder de su Sangre, yo te perdono y te bendigo. En nombre del Padre, del Hijo y del Espíritu Santo."

¡Qué leve está nuestro corazón!...

¡Qué alegre y feliz está nuestro corazón!... ¡Aleluya!

¡Gracias, Señor Jesús! ¡Amén! ¡Aleluya!

"Que si vosotros perdonáis a los hombres sus ofensas, os perdonará también a vosotros nuestro Padre celestial; pero si no perdonáis a los hombres, tampoco vuestro Padre perdonará vuestras ofensas" (Mt 6,14-15).

¡Hermano mío, qué bueno es tener al Señor! ¡Qué bueno que nos podemos allegar a Él en oración! ¡Qué privilegio es la oración para nosotros, hijos de Dios!

Este es el momento de la gracia; momento de poder y de comunión con Dios. Únete a nosotros, abre bien tu corazón y, juntos, vamos a dirigir un culto de alabanza y adoración a nuestro Dios.

ORACIÓN

Padre santo, Padre de Nuestro Señor Jesucristo, Tú eres nuestro Dios y Padre. Nosotros Te adoramos y bendecimos tu nombre. Te exaltamos y nos alegramos en Ti porque eres nuestro Creador. Te damos toda honra y gloria, toda gracia y poder, y Te agradecemos, Padre, porque cada día nos renuevas con tu amor.

Padre, hoy, en tu presencia, queremos entregarnos y abandonarnos en tus manos. Queremos ren-

dirnos incondicionalmente a Ti. Somos tus hijos en Jesucristo, nuestro Señor.

Qué bueno, Padre, que Tú nos amas tanto que nos reconcilias Contigo por la Sangre de Cristo (ver Col 1,20-22). Muchas gracias, Padre, por esta Sangre.

Qué bueno, Padre, que enviaste a Jesús como nuestro Salvador. Alabado seas porque aceptaste el sacrificio de Jesús allí en la cruz y perdonaste nuestros pecados.

Qué bueno, Padre, que podemos tener paz Contigo por causa de Jesús y de su Sangre derramada por nosotros (ver Rm 5,1).

Señor Jesús, hoy, por la fe, nos colocamos a tus pies allí en el Calvario, en aquel momento exacto en que orabas por nosotros, pecadores y decías: *"Padre, perdónales, porque no saben lo que hacen"* (Lc 23,34).

Oh Señor Jesús, verdaderamente no sabemos lo que hacemos. Cuánto pecado instalado en nuestro corazón, cuanto odio, rencor, amargura, resentimiento, dolor, incluso de aquellos que tenemos que amar más. Y Tú nos das tu perdón. Hoy, queremos acoger este perdón y, por eso, arrepentidos pedimos que tu Sangre generosa venga sobre nosotros y cada uno de los miembros de nuestra familia para purificarnos. En este momento, nos abrimos a la acción de tu Espíritu Santo.

Ven, Espíritu Santo, Tú que eres la luz no creada, amor divino y vida eterna. Ven, Espíritu Santo, y revélanos todas las raíces de muerte instaladas en nosotros por causa del pecado. Danos esta conciencia del pecado, esa convicción profunda del arrepentimiento para que ahora mismo, podamos aproximarnos del Señor Jesús y recibir de Él su perdón.

¡Perdón, Jesús, perdón! Te agradecemos y bendecimos porque tu Sangre redentora, que nos purifica de todo mal, está fluyendo sobre nosotros. Tu perdón viene a nuestro corazón. Tu amor nos está renovando. Bendito seas, Señor, por este momento de gloria en que nos reconcilias con el Padre a través de tu Sangre.

¡Amén, Señor! ¡Aleluya, Señor!

Hermano mío, ya que recibimos gratuitamente el perdón y el amor de Dios, recibimos también, a través de Jesucristo, la capacidad de perdonar a nuestros familiares, amigos y enemigos y de reconciliarnos con aquellos que nos ofendieron o a quienes nosotros herimos.

Jesús nos perdonó, y su amor inmenso nos impele a perdonar a nuestros hermanos (ver II Co 5,18). No importa quién tiene razón. Hemos nacido de nuevo. Somos hijos de Dios, Jesús nos enseñó y condicionó el perdón de Dios para nosotros al perdón que debemos dar al prójimo. Por eso, vamos a hacer una oración de contemplación y pedir mucho la acción del Espíritu Santo en nosotros, para que seamos libres en Cristo para perdonar: **"¡Ven Espíritu Santo, con tu poder, y actúa fuertemente en nuestro corazón!"**

Vamos a colocarnos en la presencia de Jesús e imaginarlo resucitado, glorioso, todo vestido de blanco... Sus vestimentas brillan... Él está delante de nosotros. Con los ojos de la fe, podemos verlo. Está en estado glorioso, venció la muerte, el pecado, al diablo y se manifiesta victorioso, lleno de paz, amor y luz. Jesús es la luz del mundo.

"Dios es Luz, en Él no hay tiniebla alguna" (I Jn 1,5b).

En este momento, Jesús está aproximándose de nosotros. Jesús está aproximándose de ti, extiende su mano sobre tu cabeza para bendecirte y dice: *"La paz sea contigo."*

Y cuando Jesús te dice esto, la paz viene a tu corazón. Esta paz que tú no puedes comprender, que excede todo entendimiento, inunda tu corazón (ver Flp 4,7). Y tú sientes que la luz divina que emana de Jesús, va penetrando tu ser y percibes que, a medida que la luz de Dios entra en ti, todo aquello que es tiniebla es obligado a salir. La luz de Dios está envolviendo tu mente, y tú estás siendo liberado de todo mal pensamiento, de toda agitación e inquietación.

¿Sabes, hermano mío, aquel pensamiento de suicidio que te persigue? Pues Jesús te está liberando de él ahora.

¿Sabes, hermana mía, aquella depresión, aquella angustia tremenda, la tentación que te viene de tomar todas las medicinas que tienes en casa? Pues Jesús, que es vida, te está liberando y no vas a sufrir más de eso.

Y tú, hermanita mía, que tuviste una gravidez tan complicada, que estás para dar a luz, pero que tienes tanto miedo del parto, miedo de que el nene nazca con algún problema, Jesús te está tocando ahora. Él te está curando y liberando. Él es la luz de Dios que está entrando en ti, expulsando todo miedo e inseguridad. ¡Alaba al Señor y agradécele por esta cura!

Tú, que perdiste el empleo, estás tan angustiado y afligido, Jesús ahora toca tu corazón, te lo llena de confianza y paz y te dice: *"Hijo mío, son los paganos los que se preocupan con eso. Confía en Mí, busca mi reino en primer lugar, búscame a Mí, y todo lo demás Yo te lo proveeré en tu vida"* (ver Mt 6,31-34).

Y, tú, hermano mío, que estás en un lecho de hospital, sintiendo dolores y angustiado, sólo pensando en morir, sabe que la mano poderosa de Jesús te toca ahora. Siente la mano poderosa de Jesús sobre ti, recibe la luz de Dios que mana de Jesús, envuélvete en ella, porque ella viene sobre ti para curarte.

Jesús toca a alguien y deshace toda seducción que el mal ha ejercido en la mente de esa persoan, toda impureza, todo

74

pensamiento de fornicación y adulterio. Es verdad, tal vez tú nunca llegues a concretizar lo que imaginas. Jesús sabe de eso. Pero entonces todo se realiza en tu imaginación, ¿no es verdad? Jesús te libera ahora. ¡Cree en eso! El poder de Dios está viniendo sobre ti. Alaba y bendice a tu Salvador. ¡Dios te ama! Jesús continúa curando... Su luz divina toca tu corazón y es como si se derritiese igual que la cera. Todo ese odio, instalado en ti desde la juventud, se está deshaciendo, porque Dios es amor, porque Dios te ama, porque ya te perdonó, y tú estás siendo inundado de ese amor, de esa luz y de ese perdón.

¡Aleluya! ¡Glorias a tu poder, Señor!

¿Sabes, hermana mía, aquel perdón que no se lo das a tu hijo? Pues ahora ya consigues perdonarlo. Jesús está liberando esa gracia en tu corazón.

Y tú, hijo, o tú, hija, todo ese odio que has sentido en relación a tu padre y a tu madre. Dices que ellos no te comprenden, no te aman, no te aceptan... Pues todo eso se está deshaciendo en tu interior, porque Dios te ama y la luz de Dios te inunda con su amor, sanándote de todas las carencias y de todo sentimiento de rechazo.

Y tú, que fuistes traicionado por tu cónyuge, presenta a Jesús tus rencores y tus resentimientos, el dolor que esa situación de adulterio te causó. Entrega todo tu fardo a Jesús. El amor de Dios cauteriza todos los dolores.

"El que está en Cristo, es una nueva creación; pasó lo viejo, todo es nuevo" (II Co 5,17).

Alaba y agradece al Señor por sus grandes obras a tu favor.

Y tú, que estás tan enfermo, tan lleno de dolores, colócate bajo la luz de Jesús resucitado, déjate inundar por ella. Que esa luz divina queme toda enfermedad en ti. Siente ese foco de luz que incide exactamente sobre el área enferma de tu cuerpo. Siente que ese tumor en la cabeza se está deshaciendo por el poder de Jesús resucitado; que esa herida en tu estómago está cicatrizándose; que ese cáncer en el útero se está deshaciendo por el poder de Jesús. Glorifica el Santo nombre de Dios y no dudes de su poder.

Y tú, que sufres de leucemia, siente esa luz penetrando tus venas, arterias, toda la corriente sanguínea; tu sangre se está renovando por el poder de Jesucristo. Por la fe, siente ahora esa luz incidir sobre tus espaldas, en tu columna vertebral, dorsal y cervical; es el poder de Dios que está actuando en cada vértebra, curando esos dolores fuertísimos. El poder del Altísimo está fluyendo a ti, llegando a tu interior y también a todo tu cuerpo. Alaba al Señor de todo corazón.

Mira para dentro de ti mismo. Estás todo iluminado por la luz de Cristo. ¡Jesús vivo brilla en ti! ¡Eres luz de Dios en este mundo de tinieblas. Ahora en este momento, piensa en aquella persona que te es difícil de amar y perdonar (...................). Jesús no apenas te ha inundado con su luz y con su amor, Él asumió tu persona. Él vive en ti. Tú eres templo de Dios. El Espíritu de Cristo resucitado vive en tu espíritu (ver I Co 6,19). Entonces, ahora vas a dar la mano a Jesús, vas a extendérsela a aquella persona a quien no consigues amar ni perdonar y vas a irradiar la presencia de Jesús en ti hacia ella. Y con Jesús en el corazón, vas a proclamar el nombre de esa persona y vas a decir: "...................., yo te perdono en nombre de Jesús, de todo mi corazón, y te bendigo en nombre del Padre, del Hijo y del Espíritu Santo. Te libero ahora de todo mi odio, rencor y resentimiento. Te pido, también, que me perdones de todo el mal que te causé con mi odio."

Contempla a esa persona radiante de la luz y del amor de Jesús. Ella, por tu perdón, fue liberada de su odio, rencor, resentimiento y deseo de venganza. Por causa de tu perdón, esa persona ahora está liberada para recibir el amor de Dios, la conversión y la salvación en Jesús. Tu no sabías de esto, ¿no es verdad? Pero el odio impedía la gracia de Dios en ella. Y ahora ella se ha liberado a través de tu perdón.

¡Esa es la obra que Dios hace en nosotros! ¡Aleluya!

¡Oh Padre, nosotros Te agradecemos, bendecimos y adoramos!

¡Nosotros Te adoramos, Señor Jesús!

¡Nosotros Te adoramos Santo Espíritu!

Nosotros nos rendimos a Ti, Dios poderoso, santo y fiel, que nos concedes esta gracia de la reconciliación Contigo y con los hermanos por la Sangre de Jesús (ver Col 1,19-20).

En el poderoso nombre que está encima de todos los nombres, Jesucristo, nuestro Señor y Salvador, y por la intercesión de la Virgen María, medianera de todas las gracias.

Amén y amén.

6 Bendice a tu familia en nombre del Padre, del Hijo y del Espíritu Santo

"Bendecid, pues habéis sido llamados a heredar la bendición"
(I P 3,9b).

"Bendecid a los que os persiguen, no maldigáis"
(Rm 12,14).

Recibimos una carta de una señora que nos decía:

"Yo era una persona muy nerviosa y por cualquier cosa me irritaba. Tenía odio de mi marido y veía muchos defectos en él. Me parecía una persona desagradable y mala, muy mala. Quería separarme de él de cualquier manera, pero, gracias a Dios, se me convidó a hacer un seminario de evangelización y conocí a Jesús y su amor por mí. Descubrí entonces que mi marido no tenía ningún defecto. Era yo la única equivocada. Pasé a ver los defectos solamente en mí y él pasó a ser la persona más perfecta. ¿Saben de una cosa? ¡Al cabo de veinte años de casada, descubrí que amo a mi marido! ¡Ahora somos muy felices, gracias a Jesús!"

Y fue así que ella se convirtió en heredera de la bendición: bendiciendo a las personas.

"No devolváis mal por mal, ni insulto por insulto; por el contrario, bendecid, pues habéis sido llamados a heredar la bendición" (I P 3,9).

La situación del mundo de hoy y, probablemente, tu situación familiar, matrimonial o profesional es de riña, falta de armonía, odio, resentimiento, vicios y mucha tensión. Se paga el mal con el mal y la injuria con la injuria. Pero la Palabra de Dios nos dice: *"No devolváis mal por mal, ni insulto por insulto"* (I P 3,9a).

Jesús quiere que nos olvidemos del pasado, miremos adelante, dejemos de maldecir y de pagar el mal con el mal y la injuria con la injuria, y que pasemos a bendecir.

La Biblia dice que fuimos llamados a bendecir. ¡Sí, nosotros fuimos llamados a bendecir!

"Bendecid, pues habéis sido llamados a heredar la bendición" (I P 3,9b).

Somos herederos de la bendición y no de la maldición. Fuimos llamados por Dios para bendecir y no para maldecir.

Y ustedes podrán preguntar: ¿A quién debo bendecir?

Y la repuesta es: ¡a todas las personas! El marido debe bendecir a la esposa; y la esposa, al marido. Los padres deben bendecir a sus hijos; y los hijos, a su padres. Los jefes, a los subalternos; los subalternos, a los jefes. Fuimos llamados a bendecir, bendecir, bendecir, una, dos, decenas de veces al día y a todas las personas.

Te voy a proponer una experiencia sensacional: ya que fuimos llamados a bendecir, te pido que inicies ahora. Sí ¡comienza a bendecir y con alegría!

Comencemos por nosotros mismos, pero, antes, pidamos a Dios en nombre de Jesús, el perdón de nuestros pecados.

Señor Jesús, nosotros nos colocamos en tu presencia. Somos un pueblo pecador, pero somos tu pueblo y contamos con tu misericordia y con el poder re-

dentor de tu Sangre. Por eso ahora Te pedimos perdón de nuestros pecados, Señor.

(Haz un silencio en tu corazón y presenta tus pecados a Jesús.)

Purifica, Señor Jesús, nuestro corazón y límpianos con tu Sangre, de todo odio, rencor y de todo aquello que es un obstáculo a tu gracia. Haz de nosotros, hoy, instrumentos de tu bendición. ¡Jesús, ten piedad de nosotros y de nuestra familia!

(Continúa rezando conmigo.)

Señor, ¡derrama en nuestro corazón el Espíritu Santo y el don de bendecir! Esto Te pedimos, oh Dios, en el poderoso nombre de Jesús.

Somos herederos de la bendición y somos llamados a bendecir. Por eso, comencemos por nosotros mismos.

Con los ojos de la fe, agárrate a la mano de Jesús y, con tu mano unida a la de Él, haz la señal de la cruz en la frente, diciendo: **"Yo bendigo mi mente en nombre del Padre, del Hijo y del Espíritu Santo."**

Haz la señal de la cruz sobre los ojos y di: **"Yo bendigo mis ojos en nombre del Padre, del Hijo y del Espíritu Santo."**

Haz la señal de la cruz sobre la boca: **"Yo bendido mi boca y mi lengua en nombre del Padre, del Hijo y del Espíritu Santo."**

Haz la señal de la cruz sobre el corazón: **"Yo bendido mi corazón en nombre del Padre, del Hijo y del Espíritu Santo."**

Haz la señal de la cruz sobre el pecho, diciendo: **"Yo bendido mi corpo, mi alma, mi espíritu, todo mi ser en nombre del Padre, del Hijo y del Espíritu Santo. ¡Aleluya!"**

Ahora le pido a la esposa que bendiga al marido. Haz la señal de la cruz sobre la frente del marido y di: **"Yo te bendigo en nombre del Padre, del Hijo y del Espíritu Santo."**

Tú, marido, vuélvete para tu esposa, haz la señal de la cruz sobre la frente de ella y di: **"Yo te bendigo, querida, en nombre del Padre, del Padre, del Hijo y del Epíritu Santo. ¡Aleluya!"**

En este momento, que los padres bendigan a sus hijos en nombre del Padre, del Hijo y del Espíritu Santo.

Ahora, bendice a tu jefe, a tus compañeros de trabajo, en fin, a todas las personas con las que tienes relaciones profesionales: **"Jesús, queremos presentarte a Ti a todas las personas con las que nos relacionamos profesionalmente. Queremos traerlas a tu presencia y bendecirlas en nombre del Padre, del Hijo y del Espíritu Santo."**

Bendice también a tus descendientes (las personas que vienen después de ti en el orden familiar: hijos, nietos, etc.) y a tus ancestrales (las personas antes de ti: padres, abuelos, bisabuelos, etc.): **"Yo les bendigo en nombre del Padre, del Hijo y del Espíritu Santo, para que todos sean, como yo, herederos de la bendición en Jesucristo Nuestro Señor."**

En este momento, bendice a las personas que más amas en el mundo: parientes, amigos, vecinos: **"Yo os bendigo en el nombre del Padre, del Hijo y del Espíritu Santo."**

La Palabra de Dios dice también: *"Bendecid a los que os persiguen, no maldigáis"* (Rm 12,14).

Por lo tanto, bendice a las personas que te persiguen: a tus enemigos. Puedes decir que no tienes enemigos, pero existen algunas personas con quienes no te das muy bien: vecino, pariente, suegra, suegro, cuñada... Para la lectura, piensa en cada una de ellas y di: **"Bendigo a mis enemigos, grandes y pequeños, en nombre del Padre, del Hijo y del Espíritu Santo!"**

Tú podrías estar preguntando: "¿Qué significa invocar la bendición de Dios? ¿Qué significa bendecir?"

Bendecir significa colocar a la persona bajo la protección de Dios Padre, Hijo y Espíritu Santo. Significa también invocar sobre ella las gracias y las bendiciones de Dios. Por tanto, ésa es una oración poderosísima.

Vamos, entonces, con mucha fe, mirando a Jesús resucitado y glorioso, a abrir el corazón y bendecir como Dios nos lo determinó en la Biblia:

"Habló Yahvéh a Moisés y le dijo: Habla a Aarón y a sus hijos y diles: Así habéis de bendecir a los hijos de Israel. Les diréis: 'Yahvéh te bendiga y te guarde; ilumine Yahvéh su rostro sobre ti y te sea propicio; Yahvéh te muestre su rostro y te conceda la paz.' Que invoquen así mi nombre sobre los hijos de Israel, y yo les bendeciré" (Nm 6,22-27).

Repite, bien despacio, la Oración de la Bendición. Vamos a repetir algunas palabras clave de aquello que acabamos de leer:

"Ilumine Yahvéh su rostro sobre ti" (Nm 6,25a).

¡¿Qué más nos gustaría en la vida además de conocer y ver la faz del Señor!?

"Yahvéh [...] te conceda la paz" (Nm 6,26b).

¡Sus bienes, sus dones y su protección!

"Yahvéh te muestre su rostro y te conceda la paz" (Nm 6,26).

Repite esta oración en voz alta o mentalmente varias veces al día, *"pues habéis sido llamados a heredar la bendición"* (I P 3,9b). ¡Aleluya! ¡Gloria a Deus!

¡¿Vamos a formar un gran ejército de personas que bendicen!?

Bendice tu matrimonio, a tus hijos, a tu familia, a tus parientes, a tus amigos y a tus enemigos: "¡Que Dios te bendiga! ¡Que Dios te bendiga! ¡Que Dios te bendiga!"

Repite el día entero, a todas las personas que encuentres. Eso mismo, di en voz alta o mentalmente a todas las personas que encuentres en el trabajo, en tu casa, en la calle, en el autobús, en el automóvil...

¡Y que Dios te bendiga también! ¡Que Dios te bendiga! ¡Que Dios te bendiga! ¡Que Dios bendiga tu matrimonio! ¡Que Dios bendiga a tu familia!

Vamos a hacer la Oración de la Bendición una, dos, decenas y decenas de veces al día. Y que Dios, en nombre de Jesús, te bendiga también!

¡Amén! ¡Aleluya!

ORACIÓN*

Ven, Señor Jesús, ven, Señor. Inunda nuestro corazón con tu amor, con tu poder, con tu Espíritu Santo.

---

* Esta oración fue inspirada por el Señor durante el programa de radio Jesús te Ama. El Señor Jesús reveló por medio del Espíritu Santo de Dios, a través de los dones o carismas de la palabra de ciencia, de la fe, de cura y milagros (ver Co 12,4-11), un poco de lo mucho que estaba realizando en favor de su pueblo. Todas estas curas fueron posteriormente confirmadas, para gloria del Señor, a través de llamadas telefónicas, cartas y testimonios.

Creemos que la misma unción del Espíritu Santo puede liberarse en el corazón del lector que, orando con fe y confianza en el amor y en el poder de Jesús resucitado, se apropie de la cura divina, pues está escrito:

"Yo soy Yahvéh, el que te sana" (Ex 15,26d).

"¡Y con todo eran nuestras dolencias las que él llevaba y nuestros dolores los que soportaba!" (Is 53,4a).

"Con sus cardenales hemos sido curados" (Is 53,5c).

Hermano mío, es grande la paz del Señor Jesús en medio de nosotros, en nuestro corazón. Es tan grande la bendición que sentimos suspendida sobre nosotros que queremos que tú participes de ella con nosotros.

Por eso, cierra los ojos por algunos minutos. Pára un poco con la agitación, correría, con tu trabajo... Colócate ahora en la presencia de Jesús, abre bien tu corazón y vamos a rezar juntos.

Padre eterno, nosotros Te amamos mucho y queremos agradecerte hoy por tu bendición, porque Tú eres nuestro Padre de amor y nos reconcilias Contigo a través de Jesucristo Nuestro Señor. Nosotros Te amamos, Padre, Te adoramos, Te bendecimos y nos abrimos ahora para recibir la bendición que viene de Ti y nos quedamos, así, inundados por tu gracia, por tu paz y tu amor.

Nosotros Te agradecemos también, Padre, porque hoy, a través de tu Palabra, aprendimos que somos tu bendición en favor de nuestro hermanos. Tu Palabra *"Engrandeceré tu nombre, que servirá de bendición"* (Gn 12,2b) es para cada uno de nosotros. Queremos entrar en posesión de esta Palabra divina y transformarnos en canales e instrumentos tuyos para que podamos bendecir a todas las personas.

Por eso, en tu presencia, queremos ahora renunciar a toda palabra vana que nuestros labios hayan proferido y clamar la Sangre de Jesucristo para purificar nuestro corazón, nuestra mente y nuestra lengua.

Te pedimos perdón por toda maldición que podamos haber lanzado sobre las personas, principalmente sobre algún miembro de nuestra familia. Renunciamos a cada una de ellas. Clamamos la Sangre de

Jesús para cortar el efecto maligno de cada maldición que hayamos podido hacer inadvertidamente.

Hoy, tu Palabra nos ha liberado. Debemos bendecir para que seamos herederos de la bendición.

Y nosotros bendecimos, Padre, a nuestros hijos, cónyuge, padres, hermanos, parientes, familiares.

Bendecimos a las personas con quienes tenemos dificultades de relacionarnos y a aquellos que nos persiguen e injurian.

Bendecimos a las personas con las que convivimos profesionalmente, bendecimos a nuestro jefe y nuestro trabajo.

Bendecimos lo que nos gusta y lo que no nos gusta hacer.

Bendecimos todos los momentos de nuestra vida y nuestra salud.

Bendecimos en nombre del Padre, del Hijo y del Espíritu Santo.

Y nosotros Te pedimos, Padre eterno, que, con esta bendición divina y en nombre de Jesús, hagas fluir el poder del Espíritu Santo para curar a tu pueblo.

Hermano mío, tú eres una bendición de Dios para tu prójimo. La bendición de Dios viene y fluye a él a través de ti. Por eso, ahora, extiende la mano, toca a la persona que está próxima de ti. La bendición de Dios es completa, pues ella es perdón, amor, salud, vida, paz, cura y liberación. Y vamos a orar juntos:

Padre santo, libera a este hermano mío de todo remordimiento que haya en su corazón, de todo complejo de inferioridad, de toda acusación en su interior.

Libéralo, Señor, por el poder del nombre de Jesús, de la soledad, del desánimo, de la tristeza, de la desolación y del miedo del futuro.

Libéralo, Señor, de la amargura, del arrepentimiento de hechos ligados al pasado, de cosas dichas, de actitudes tomadas que no estaban de acuerdo con tu Palabra. Queremos ahora clavar todo esto en la cruz de Nuestro Señor Jesucristo y clamar la Sangre de Jesús sobre todo pecado y negatividad en la vida de este hermano mío.

Padre, creemos que para Ti no existe lo imposible y, por tanto, pedimos que uses nuestras manos para bendecir y que, en nombre de Jesús, la cura divina fluya a mi hermano.

Unge, Señor Jesús, con tu poder, nuestras manos y cura a las personas por las que intercedemos.

Levanta a aquellos que están enfermos, presos a una cama. Tú eres todopoderoso, no hay límites para Ti.

Cura, Señor, a los que sufren de anemia, de mala ciculación de la sangre, de debilidad, de dolores musculares y de reumatismo.

Ven, Señor, con tu poder. ¡Es tan grande la unción que derramas en nuestro corazón!

Ven, Jesús, bendice y cura a los cancerosos. ¡Oh Señor, oramos por aquellos hermanos que tienen tumores en la cabeza! Con mucha confianza pedimos ahora que, en nombre de Jesús, la cura divina se procese en esos organismos.

Libera, Señor, a los hermanos que sufren de jaqueca, heridas que no cicatrizan, diabetes, tonturas, confusión mental, desequilibrio.

Ven, Señor, toca a esa hermana que postrada Te pide la cura de su laberintitis. ¡Ten misericordia!

Visita, también, los corazones afligidos y lávalos con tu Sangre, Jesús.

Libera a aquellos hermanos que sufren del hígado, del pancreas, con malestares continuos, a los que sufren de dolores e inflamaciones en las rodillas. Te lo pedimos, Jesús, sana a los que tienen enfermedades de los ojos y de la cabeza.

Queremos agradecerte porque tu poder y tu gracia son grandes.

Queremos agradecerte porque somos instrumentos tuyos.

Queremos agradecerte porque tu bendición corre a través de nosotros.

Queremos agradecerte porque, a medida que bendecimos en tu nombre, Señor, nosotros también nos convertimos en herederos de la bendición.

Y, Padre eterno, en nombre de Jesús, como hijos tuyos, con toda confianza, queremos administrar tu bendición divina a todos aquellos que, en este momento, están unidos a nosotros en oración.

Hermano mío: *"Yahvéh te bendiga y te guarde; ilumine Yahvéh su rostro sobre ti y te sea propicio; Yahvéh te muestre su rostro y te conceda la paz"* (Nm 6,24-26).

A Ti, Padre santo, toda alabanza de nuestro corazón, en nombre de Jesús y en la unidad del Espíritu Santo, por la poderosa intercesión de la Virgen María.

¡Amén y amén!

7 ¡La Sangre de Jesús tiene poder para salvarte a ti y a tu familia!

"Tomó luego un cáliz y, dadas las gracias, se lo dio diciendo: 'Bebed de él todos, porque esta es mi sangre de la Alianza, que va a ser derramada por muchos para remisión de los pecados'" (Mt 26,27-28).

¡LA SANGRE DE JESÚS TIENE PODER PARA SALVARTE A TI Y A TU FAMILIA!

Quiero dar un testimonio personal a este respecto.

Durante esta semana, he leído varios textos de la Palabra de Dios que hablan del poder de la Sangre redentora de Jesús. Sabemos que la Palabra de Dios es viva y eficaz. De esa forma, en cuanto yo leía, pasaba a vivir el poder de la Sangre redentora de Jesús en mi vida.

Comencé a clamar la Sangre de Jesús sobre mí, sobre mi familia y sobre todas las dificultades que estaba enfrentando. Clamé la Sangre de Jesús para quebrar los grillones de los pecados de pensamiento, de juicio, de falta de amor o de perdón. Clamé aún la Sangre de Jesús sobre el juicio hecho por mis hermanos, sobre la tristeza que podría estar en mi corazón.

Yo dije que clamé la Sangre de Jesús, pero aún continúo clamándola sobre mis pecados, para que, arrepentido y por la fe en el nombre de Jesús, yo sea todavía más purificado.

Clamo la Sangre de Jesús sobre el mal que pueda advenir de los otros a mí. Siempre coloco la Sangre de Jesús entre las personas que tal vez no me deseen el bien y yo, comprometiéndome, no obstante, a no guardar ningún resentimiento y a orar por ellas.

Clamo también la Sangre de Jesús sobre todas las cosas.

Te confieso que lo que acabé de testimoniar es una experiencia personal del poder de la Sangre redentora de Jesús.

¡LA SANGRE DE JESÚS TIENE PODER!

Doy testimonio de esta experiencia no porque oí decir o sólo porque lo leí, sino por ser algo que probé y pruebo ahora: ¡LA SANGRE DE JESÚS TIENE PODER! La sangre de Jesús tiene poder para cambiar tu vida y la vida de tu familia, así como mudó y continúa mudando la mía.

¿Sabías que tienes una participación en la aspersión de la Sangre de Cristo?

La Palabra de Dios dice a través de San Pedro: *"Elegidos [...] para abedecer a Jesucristo y ser rociados con su sangre"* (I P 1,2b).

Como dice San Pedro, fuimos elegidos, escogidos por Dios para participar de la aspersión de la Sangre de Jesús, esto es, para recibir la salvación y el perdón de nuestros pecados a través de la Sangre de Cristo. Aprópiate de esta Sangre, hermano mío. Aprópiate de ella para ti y toda tu familia.

"Porque esta es mi sangre de la Alianza, que va a ser derramada por muchos para remisión de los pecados" (Mt 26,28).

Esta Sangre fue derramada por ti y por los miembros de tu familia para que sean sanados física y espiritualmente y liberados del demonio.

¿Tú sabías que tú y tu familia pueden vencer al demonio? ¿Sabías que tú y tu familia tienen a su disposición, por la fe en el nombre y en la Sangre de Jesús, armas poderosísimas para derrotar al demonio? Es la Palabra de Dios que nos dice justamente esto: *"Ellos [que somos nosotros] le vencieron [al demonio] gracias a la Sangre del Cordero [la Sangre de Jesucristo Nuestro Señor"* (Ap 12,11a).

Vamos a leer nuevamente, con mucha alegría, el texto del Evangelio de San Mateo que habla de la Sangre de Jesús: *"Porque esta es mi sangre de la Alianza, que va a ser derramada por muchos para remisión de los pecados"* (Mt 26,28).

La Sangre de Jesús tiene el poder de perdonar los pecados, salvar al hombre de la muerte espiritual, que es el fruto del pecado, y darle vida en plenitud, vida de hijo de Dios Padre.

La Sangre de Jesús tiene poder para curar plenamente, para liberar y quebrar las cadenas que aprisionan a la persona y su familia al mal. Y nosotros, por la Sangre de Jesús, nos quedamos liberados del mal, con las manos desatadas, erguidas a los cielos, para dar gloria al poder de la Sangre y del nombre de Jesús.

Arrepiéntete de tu pecado. Invoca el perdón de tus pecados y de los pecados de tu familia por la Sangre redentora de Jesús (a través del Sacramento de la Reconciliación, en el caso de pecado grave) a cada día, a cada momento y en todas las situaciones de tu vida. ¡Invoca siempre el poder de la Sangre de Jesús sobre ti y tu familia!

Cree en el poder de la Sangre de Jesús, porque ningún mal hay que pueda resistirle; lavados en la Sangre de Jesús, el mal no puede tocarnos.

¡LA SANGRE DE JESÚS TIENE PODER PARA SALVARTE A TI Y A TU FAMILIA!

La Sangre de Jesús purifica toda mancha de nuestra vida. La Sangre de Jesús lava a nuestra familia, trabajo y ambiente social. La Sangre de Jesús nos salva, nos purifica, libera y cura, para que podamos glorificar a Jesús, a aquél que nos ama.

Hoy, a cada día, a cada hora, a cada momento, coloca entre tú (inclusive tu familia) y todo mal, el poder de la Sangre de Jesús.

Coloco, ahora, la Sangre de Jesús entre todo mal y yo. Coloco la Sangre de Jesús entre mi familia y todo mal. Y declaro que, por el poder de la Sangre de Jesús, vencemos al demonio y a sus obras. Somos victoriosos por el poder de la Sangre de Jesús. ¡Aleluya!

Vamos ahora a imaginar la cruz de Cristo, la cruz de la victoria y del amor de Dios; vamos a mirar la Sangre de Jesús siendo derramada desde esa cruz y vamos a rezar. Pidamos a Jesús que lave en su Sangre nuestro ser, a nuestra familia, nuestra casa, nuestro trabajo, a nuestros amigos. Vamos también, usando el poder del nombre y de la Sangre de Jesús, a perdonar a las personas que nos ofendieron o nos lastimaron, especialmente a los miembros de nuestra familia, de la misma manera que osamos pedir perdón a Dios y clamar la Sangre de Jesús para lavar nuestros pecados.

Jesús quiere, por amor a nosotros, que seamos liberados y salvados de lo grillos del resentimiento, pena y odio y que oremos por nuestros enemigos. Acuérdate ahora de tus enemigos, de los grandes y de los pequeños, aquellas personas con quienes a ti no te gusta relacionarte: los parientes (suegra, suegro, padres, hermanos, etc.), amigos y compañeros de trabajo, e, incluso, tu marido o esposa, o alguno de tus hijos.

Reza clamando la Sangre redentora de Jesús sobre toda relación, principalmente sobre toda y cualquier relación en tu ambiente familiar. Ahora, ora:

Jesús, Te pido que, en tu Sangre redentora, el Señor me purifique a mí y a mi familia, mi casa, mi trabajo y a mis amigos. Creo en el poder de esta Sangre redentora, Jesús. Creo que tu Sangre está lavando todas las relaciones de mi vida y renovando cada una de ellas, Señor Jesús.

Siento el poder de esta Sangre lavándome ahora y lavando a mi familia, corriendo sobre nosotros, directamente de tu cruz, por la fe en tu nombre y en tu Sangre para redimirnos, sanarnos y liberarnos.

Sé que las manchas del pecado y del mal están dejando ahora mi corazón y el corazón de cada miembro de mi familia, por la Sangre que nos purifica y lava.

Y ahora, Señor, usando el poder de tu Sangre, lo coloco entre todas las personas y yo, especialmente aquellas de quienes yo siento rabia, aquellas que no me gustan mucho y aquellas personas que me causaron algún daño que aún no conseguí perdonar.

Sí, Jesús, y en la fuerza de esta Sangre que me redime y libera y en el poder de tu nombre, yo perdono ahora cualquier mal que puedan haber causado a mi vida y a mi familia. Yo Te alabo, Jesús, porque siento la liberación del resentimiento y de la pena por tu Sangre que purifica todas mis relaciones.

Gracias, Jesús, por esta Sangre poderosa. Gracias, Jesús, por la salvación, cura y liberación. Gracias por la vida. ¡Gracias por tanto amor!

Jesús, ahora comprendo que derramaste tu Sangre para que pudiésemos salvarnos y llevar esta salvación a todas las personas, en especial, a nuestra familia.

Yo perdono, Señor, de la misma manera que pedí perdón, por tu nombre y por tu Sangre, Jesús.

¡Amén! ¡Aleluya!

Te confieso que, a partir de esta semana, seré una nueva criatura. Ya soy una nueva criatura, porque, una vez más, el Espíritu Santo, que enseña todas las cosas, me enseña a vivir el poder de la Sangre de Jesús y a utilizar cada vez más el poder de esta Sangre que salva, cura y libera.

Usa también el poder de la Sangre de Jesús sobre ti y tu familia.

Tú que eres casado, pídelo sobre tu matrimonio y tu familia.

Y tu, soltero, pídelo sobre tus padres y tus amigos.

Todos nosotros debemos usar el poder de la Sangre de Jesús.

Jesús murió en la cruz y derramó su Sangre a través de sus llagas para que fuese usada como obra del amor de Dios.

Ahora tú sabes que eres llamado a tener una participación especial en esta Sangre y que, a través de ti, toda tu familia también es llamada a la salvación. Por lo tanto, ¡usa el poder de esta Sangre! ¡Aprópiate, por la fe en el nombre de Jesús, de tu participación en su Sangre redentora! Aprópiatela para ser purificado y perdonado. Y tú ya conoces la promesa de Dios: *"Ten fe en el Señor Jesús y te salvarás tú y tu casa"* (Hch 16,31). Recibiendo la salvación por la Sangre de Jesús, tú serás el canal de Dios para llevar la salvación a toda tu familia. Al escogerte a ti, Dios también llama a todos los de tu familia para participar de la salvación por la Sangre redentora de Jesús.

¡Perdona ahora!

Usando el poder del nombre y de la Sangre de Jesús, queremos ahora lanzarte un desafío a ti, hermana mía, que nos escribes y nos telefoneas criticando a tu marido: Perdona a tu marido, en nombre de Jesús, de la misma manera que tú recorres a la Sangre de Jesús para ser purificada de tu pecado. Jesús te pide, por medio de la Palabra, que perdones a tu marido ahora. Que tú nunca más levantes la voz para criticarlo. No importa lo que haya hecho o esté haciendo, clama la Sangre de Jesús entre él y tú. Pide que la Sangre de Jesús te lave y también a tu esposo y, en nombre de Jesús, perdona. ¡Perdona! Perdona setenta veces siete a tu marido. Esto es lo que Jesús te pide, que levantes las manos a los cielos suplicando el perdón de sus pecados. Pide también perdón para tus hijos y la salvación para tu familia. Y acuérdate: ¡Nunca jamás levantes tu voz contra tu marido!

Nosotros nos dirigimos también a ti, que eres marido: No oses más criticar a tu esposa. No se te ocurra ridiculizarla en los corros de amigos. No te atrevas a pecar más con otras mujeres. No te atrevas a tocar a tu esposa con las mismas manos que tocan a otras mujeres. No oses besar a otras mujeres. No te atrevas a mancillar tu lecho matrimonial. No te atrevas más... ¡En el nombre de Jesús, hombre, reacciona! Clama la Sangre de Jesús sobre tus flaquezas y tentaciones. En Jesús, somos vencedores sobre el demonio, la tentación y el pecado de adulterio. En el nombre de Jesús y en el poder de su Sangre redentora, ¡hombre, reacciona! Levanta la cabeza. Mira adelante y deja el pecado para vivir la vida de hijo de Dios, la vida que Dios prometió a través de la Sangre redentora de Jesús. Invoca la Sangre de Jesús sobre ti y sobre toda la malicia y seducción que puedan existir entre ti y otras mujeres, para que, purificado en esta Sangre, nunca más te atrevas a mirar y tocar a otras mujeres.

Dios nos ama y, por amor a nosotros, Él quiere que usemos el poder de su Sangre redentora.

¡LA SANGRE DE JESÚS TIENE PODER PARA SALVARTE A TI Y A TU FAMILIA!

¡LA SANGRE DE JESÚS TIENE PODER PARA SALVARTE A TI Y A TU FAMILIA!

¡LA SANGRE DE JESÚS TIENE PODER PARA SALVARTE A TI Y A TU FAMILIA!

Usa a cada momento, a cada día, a cada hora, el poder de la Sangre de Jesús sobre ti, sobre tu familia y sobre todas las situaciones.

¡Jesús te ama, hermano mío! ¡Jesús te ama, hermana mía! Sé que Él también me ama. Y, por amor a nosotros, Él nos da el poder de su Sangre para que seamos salvados, sanados y liberados.

¡Gloria a Dios por eso! ¡Aleluya, Jesucristo! Amén. ¡Aleluya!

ORACIÓN

Padre santo, Padre de poder, de amor y de misericordia, nosotros Te adoramos, bendecimos y glorificamos. Tú eres nuestro Creador. En Ti tenemos la vida. Nosotros Te agradecemos porque a cada momento probamos este amor que nos das en Jesucristo, nuestro único Señor y Salvador.

Señor Jesús, Tú eres el Verbo de Dios encarnado. Tú eres nuestro Dios. Nosotros Te damos toda nuestra alabanza y Te agradecemos porque Tú viniste al mundo y Te hiciste semejante a nosotros en todo, menos en el pecado, y nos amaste hasta el fin, borraste nuestros pecados con tu Sangre redentora derramada, gota a gota, por amor a nosotros.

¡Oh Jesús, qué misterio tan grande encierra tu Sangre! ¡Qué misterio tan grande contiene tu Sangre! ¡Qué felices somos porque cada uno de nosotros posee su participación en la aspersión de esa Sangre! Queremos, pues, clamar sobre nosotros y sobre nuestro hogar y familia, sobre nuestro país y sobre el mundo entero el poder redentor de esta Sangre preciosa, porque es la Sangre del Hijo de Dios encarnado.

Oh Señor, alabado y bendito sea tu nombre. Alabada y bendita sea tu Sangre. Envía ahora sobre nosotros tu Santo Espíritu para que Él pueda revelarnos toda la fuerza y poder que hay en tu Sangre; Sangre de Cristo que corrió en la tierra durante la agonía, que manó abundantemente y que, por amor a nosotros, goteó en la flagelación y en la coronación de espinas.

Ahora, en este momento exacto, lávanos la mente, liberándola de todo poder y dominio del mal. Y colocamos aquí, Señor Jesús, con toda fe y confianza en Ti, a cada miembro de nuestra familia.

Sangre de Cristo, toda derramada en la cruz, precio de nuestra salvación.

Sangre de Cristo, sin la que no puede haber redención ni perdón de los pecados.

Sangre de Cristo, torrente de misericordia.

Sangre de Cristo, que vence al demonio.

Sangre de Cristo, fuerza de los tentados.

Sangre de Cristo, alivio de los que trabajan.

Sangre de Cristo, consolación de los que sufren.

Sangre de Cristo, consolación de los afligidos.

Sangre de Cristo, consolación de los que padecen.

Sangre de Cristo, consuelo de los moribundos.

Sangre de Cristo, paz y dulzura en nuestro corazón.

Sangre de Cristo, garantía de vida eterna.

Sangre de Cristo, digna de toda honra y de toda gloria.

Sangre de Cristo, que invocamos ahora para que nuestros pecados sean perdonados.

Sangre de Cristo, que invocamos a cada momento de nuestra vida.

Sangre de Cristo, que invocamos como protección sobre nuestro hogar y sobre nuestros seres queridos.

Sangre de Cristo, arma poderosa que Dios nos concede a nosotros y a nuestra familia.

Sangre de Cristo, fuerza de Dios para arrasar fortificaciones demoníacas.

Sangre de Cristo, nosotros nos refugiamos en Ti y nos lavamos en tu poder y fuerza.

Oh Jesús, nosotros Te agradecemos por tanto amor.

Nosotros Te agradecemos porque eres nuestro Redentor.

Nosotros Te agradecemos por esta Sangre que recibimos en la Eucaristía, Sangre viva de Dios vivo.

Nosotros Te agradecemos por el poder de esta Sangre en que somos anegados cada vez que recibimos el Sacramento de la Reconciliación.

Nosotros Te agradecemos por el poder de esta Sangre que tiene el poder de perdonarnos y de transformar nuestras vestiduras manchadas por nuestros pecados en vestiduras blancas por la gracia santificante.

Padre santo, Padre de nuestro Señor Jesucristo, Tú que nos amaste tanto y nos diste a Jesús como Salvador, nosotros Te pedimos, oh Padre, que la preciosa Sangre del Señor Jesús caiga en nuestro corazón y en el corazón de nuestros familiares, borre y aniquile ahora, en el poder que ella contiene, toda tristeza, angustia y soledad.

Oh Señor, creemos en Ti y con toda fe nos entregamos incondicionalmente a Ti. Clamamos este poder que nos das en tu Sangre; poder que apacienta nuestro corazón, que nos llena de alegría; poder que libera a nuestra familia y nos lleva al perdón y a la reconciliación.

Ven, Santo Espíritu, y haz sentir ahora en todos los lectores la alegría de la salvación, a fin de que puedan probar el poder redentor de la Sangre de Jesucristo Nuestro Señor, actuando en ellos, en sus hogares, familiares y trabajos.

A Ti, Padre santo, toda honra, alabanza, gloria, poder y majestad en Jesucristo Nuestro Señor, en la unidad del Espíritu Santo y por la intercesión poderosa de la Virgen María.

Amén y amén.

OTRAS PUBLICACIONES

Rabboni y **Jesús Te Ama** son libros de oración y meditación, pautados en la Palabra de Dios. En ellos se abordan temas que te llevarán a obtener más paz, alegría, amor, cura física y espiritual, perdón, bendición, salvación, fe en Jesús y vida en plenitud.

Regis Castro

Regis Castro y Maïsa Castro

Una Visita de Jesús para Usted (Raquel) se escribió para Ud., mujer que ama, lucha, trabaja y sufre por su felicidad y la de su familia. Dios le da ahora una oportunidad de salvación; quizás nunca más surja otra ocasión como ésta.

Regis Castro y Maïsa Castro

Curación a través de la Bendición
(Bendición sobre bendición)
En este libro aprenderás a entrar en posesión de la Palabra de Dios. Aprenderás también la oración de la fe que mueve la mano de Dios.

Regis Castro y Maïsa Castro

Raïssa es un libro que emociona bastante no sólo por su contenido, sino por la poesía que brota de sus líneas. El espíritu de los personajes se proyecta de tal manera que es imposible no quedar marcado por ellos.

Regis Castro

Rosario de la Liberación se basa en la Palabra de Dios y debe rezarse con fe para glorificar el nombre poderoso de Jesucristo y pedirle la cura, la salvación y la liberación.
Regis Castro y Maïsa Castro

Perseverar en el Amor de Dios indica el camino para eso y las bendiciones que Dios derrama en la vida de quien en Él persevera con confianza y fidelidad.
Maïsa Castro

Libro de la Familia – cura y salvación para ti y tu familia presenta algunas de las armas poderosas para ser utilizadas contra las fuerzas espirituales del mal, que destruyen tu vida y la de tu familia.
Regis Castro y Maïsa Castro

Amor Eterno presenta la solución que Dios ofrece para todos los problemas del noviazgo, del casamiento y de la familia.
Regis Castro y Maïsa Castro

Jesús Es Mi Amigo es justamente para que usted conozca más sobre el poder de cura, salvacíon y liberación que está en el nombre de Jesús y en Su Palabra.
Regis Castro y Maïsa Castro

Jesus Quiere Sanar Su Vida fue inspirado en proclamaciones de la Palabra de Dios hechas por los autores en el decurso de su ministerio de evangelización que exercen a través de programas de radio, de grupos de oración, de encuentros, de retiros espirituales, etc.
Regis Castro y Maïsa Castro

La Mano Poderosa de Jesus en Mi Corazón

El primer capítulo de este libro podrá ayudarlo a entregarse a Jesucristo y a sentir intensamente el amor de Dios por usted. Los demás capítulos también tienen, por objetivo, llevarlo a una experiencia personal del poder transformador de Dios en su vida.
Regis Castro y Maïsa Castro

Las Manitos de María

Este libro es escrito para personas que caen y quieren levantarse, por la gracia y misericordia de Dios, a través de Jesucristo y Su Madre, María.
Regis Castro

Alabanza – Ping-Pong

Esta alabanza, además de su objetivo principal, que es exaltar a nuestro Dios, enseña a todos, desde el niño hasta el anciano, a alabarLe con el corazón, con simplicidad por cada cosa y así cumplir Su Palabra.
Regis Castro y Maïsa Castro

Consejos de Dios para Ti

En este libro las mensajes de los Proverbios son separadas en capítulos con temas para la vida espiritual, familiar, social, profesional, etc.

Regis Castro, org.

Libro de la Misericordia Divina,
Libro de la Alegría y Libro del
Perdón son libros de oración. Es bueno que usted los lea – en oración – lentamente, meditando bien el sentido de cada versículo y asimilando su contenido a través de la fe. Así, la Palabra de Dios, acogida en su corazón es vivenciada por la acción del divino Espíritu Santo y dará fruto en su vida.

Regis Castro, org.

Raïssa Castro Oliveira, org.

Oraciones de Poder

En este libro usted encuentra oraciones de cura física e interior, de liberación, para cortar maldiciones, de autoridad en el nombre de Jesús, etc.

Maïsa Castr y Raïssa Castro Oliveira, org.